猫と私の交換日記

著 阿部美奈子
絵 リサ・ラーソン

はじめに

私はペットと人の心を元気にする獣医師です。

わかりやすくお伝えすると、動物病院の待合室にいて、ペットやご家族の緊張を和らげる、そんな心のケアをしています。皆さまから出会いのストーリーを聞かせていただくたびに見えてくる、「この広い世界で１頭と一人が出会う“必然の奇跡”」。この絆を大切に守り抜くために作ったのが「動物医療グリーフケア」。本当に多くの命に立ち会う貴重な機会をいただいてきました。

『犬と私の交換日記』の出版後、おかげさまで多くの方から「猫版はないのですか？」「ぜひ書いてください！」という声をたくさんいただきました。そこで、「猫」と「人」のハッピーライフを最初から最後まで応援するために、この『猫と私の交換日記』を書きました。『犬と私の交換日記』と同様に、グリーフケアのエッセンスを詰め込んだ一冊となっています。

私が最初にグリーフケアを知ったのは、「ペットロス」の勉強をはじめた20 年近く前。人が自分にとってとても大切な対象を失くしたり、失くすかもしれないと想像したときに表れる心情が「グリーフ」だと知りました。グリーフという言葉を知らなかっただけで、私たちの身近にある自然な心情であること、そしてグリーフは人だけではなく、ペットにもあると気づいたのです。だからこそグリーフケアがあれば、もっと笑顔になる、楽に生きられると……。

この「交換日記」を記していけば、あなたには「猫」と出会った意味が見えてくると思います。そして、「人」のグリーフケアを自然に担う才能の持ち主である「猫」の存在、そして「猫の生き方」から多くを学んでいることに気づくことができると考えています。

あなたが大好きなこのコのそばで、50 の質問に、ありのままのあなたで答えてみてください。「あなたの目」と「このコの目」から見えるそれぞれの景色を交換していけば、「このコのキモチ」に今までよりもっと近づくことができるでしょう。そして、このコがグリーフを抱えたとき、「あなた」が「このコ」にできるグリーフケアが見つかります。

本書が「このコ」と「あなた」と「私」をつなぐ、幸運の架け橋になってくれることを願っています。

阿部美奈子

CONTENTS

CHAPTER.

1

このコと私の出会いのストーリー

このコと出会ったときのことを振り返ってみてください。
このコと巡り合ったことは奇跡かもしれませんが、
その出会いは、あなたの心が求めた必然なのですよ。

Question

01

人生で初めて出会った猫を思い出してみてください。

猫という動物を初めて知ったのは、いつだったか覚えていますか。
すでに我が家で猫を飼っていたり、近所にいた猫だったり、
あるいは、それは本物の猫ではなく、絵本やアニメに登場した猫や
テレビで見た猫だったかもしれませんね。
リアルな猫でもフィクションの中の猫でも、どちらでもかまいません。
あなたにとっての「猫」との初めての出会いは、いつ、どんなシーンでしたか。
その猫を見て、どんな気持ちになりましたか。
あなたの「猫の原風景」を、できるだけ書いてみてください。

from doctor

娘さんのアルバムを見ていたAさん。今は15歳になるミーコが、生まれたばかりの娘さんの枕元に若々しい姿でちょこんと座っていました。娘さんが寝返りするそばでゴロンと横になっていたり、ミーコの後ろを娘さんがハイハイして追いかけていたり。「13歳になったひとり娘は、ミーコというお姉ちゃんがいつもそばにいてくれて成長できたんだね。ミーコ、本当にありがとう！」。Aさんの子育ては、ミーコが一番応援してくれていたのかもしれません。娘さんはこの世に誕生したときから当たり前に猫がいる日常だったため、ミーコのいない景色を知りません。いつかミーコが寿命を迎えたとき、ミーコの姿がない景色に衝撃を受けると思います。でもミーコは娘さんの中で生き続けていく永遠のお姉ちゃんなのです。

Question

02

「猫と暮らしたい」と
初めて思ったのはいつですか。

猫を遠くから眺めているだけでなく
「猫ってかわいいな、我が家にいたらいいな」と思うようになったのは、
何歳のころでしたか。
あなたはどうして猫と暮らしたいと思ったのでしょう?
そう思うようになったきっかけがありましたか?

from doctor

Bさんは小学校1年生のとき、お友だちと公園で段ボール箱を見つけました。中を覗いたとき、あまりに小さくて猫だとすぐにはわからなかったそうです。成猫は見たことがあったけれど、子猫は初めて。まだ目も開かない子猫が小さい声で鳴きながら身を寄せてくる姿に、「ふたりで育てようよ！」とお友だちと一緒にBさんの家に運んだのです。でも、ご両親はペットを飼ったことがなかったため、子猫を動物病院に連れていってしまいました。

「あのとき、自分の手のひらの上でミーミー鳴いている子猫と暮らしたいと心から願ったけれど叶わなかった悲しみを、今も覚えています」と打ち明けてくれたBさん。「いつか大人になったら、絶対に猫と暮らすんだ！」。そう誓った夢が叶ったのですね。今は社会人になって出会ったミー（5歳）と暮らしています。あのとき別れてしまった、手のひらに乗せた子猫に考えた名前「ミー」が今、生きています。

Question

03

そもそもあなたは どんな猫を迎えたいと 思っていましたか。

このコに出会う前に、思い描いていたイメージがあったと思います。
迎えたかった猫の性別や種類、毛の色などを、思い出してみましょう。
容姿だけでなく、性格はどんなコを思い描いていましたか。
おとなしい、ひとなつこい、ツンデレ……など、いろいろな性格のコがいますね。
また、それは自分と似ているタイプだったでしょうか、
違うタイプだったでしょうか。

from doctor

小学校３年生のとき、親友のおうちにいたシャム猫に一目ぼれしたＣさん。シャム猫を知らなかったＣさんは、あまりの美しさに子ども心に感動したそうです。「当時、自分がぽっちゃりした体型だったので、スタイルのいい美しい猫に惹かれたんです」と笑いながら教えてくれました。

それからずっとシャム猫と暮らすことを夢見ていたＣさん。中学生のとき、塾の帰り道のバス停で、ちょっと落ち込んでいたＣさんの目に入ったのは里親募集の貼り紙。そこにいた子猫はまるでシャム猫のような顔でこちらを見ていました。「運命だ！」。シャム猫に似た子猫と奇跡の出会いを果たしたＣさんは、結婚した今もそのコと一緒に暮らしています。

Question

04

このコと出会ったときのことを
思い出してみましょう。

あなたが初めてこのコに出会ったのは、いつ、どこだったでしょう。
ペットショップや、譲ってくれた方の家でしたか?
あるいは学校や会社の帰り道に偶然出会いましたか?
このコを初めて見たとき、あなたはどんな気持ちになりましたか。
一目ぼれでこのコに決めましたか?
それとも、何度か会ってから決めましたか?
出会ってからこのコがおうちに来るまでに何かハプニングはありましたか。

from doctor

我が家のコトに出会ったときのことは今も鮮明に覚えています。マレーシアに引っ越してすぐのことでした。日本から連れてきたコーギーのリズムが植え込みのほうにぐいぐい引っ張っていくのです。その視線の先にはティッシュボックスに入ったポテトチップスが。「だめだよー」と笑いながらよく見ると、箱の後ろに動く影。日本から連れてきた犬2匹・猫2匹がいる我が家、娘たちに「マレーシアではこれ以上増やせないよ」と話していた矢先のことでした。

でも、子猫は細くて顔は汚れ、片方の目は大きく腫れて開かない状態。小雨も降りはじめ、とにかくは連れて帰ることに。母猫のそばですくすくと成長できるはずだったのに、離乳間もなく引き離されてポテトチップスと一緒にいた子猫。母猫も子猫もどんなに悲しかったかわかりません。治療して里親探しをしようと思いながらも、娘が子猫を世話する姿を見ながら揺れる気持ち。我が家で飼うと決めるまでの1カ月、いろいろな葛藤がありましたが、決め手は娘のひとこと。「このコがいたら頑張れる」。その言葉どおり、コトはマレーシアという異国で成長する娘たちのエネルギー源になりました。その後、リズムが亡くなり、気づきました。コトはリズムが我が家に残してくれた希望だったのです。

Question

05

初めて家に迎えた日、このコはどんな顔や動きをしていましたか。

初めて我が家に入ったとき、このコはどんな顔をしていたか、
覚えていますか。
緊張した顔？　それともポーカーフェイス？
どんな瞳であなたを見ていましたか？
そのときのこのコの表情や行動を思い出してみましょう。

from doctor

アメリカンショートヘアーのジャックが1歳になったとき、そろそろ仕事を始めたいと考えたDさんは留守番が心配になりました。一緒に留守番できる相棒がいたらと思い、子猫のいるペットショップへ。元気のいい子猫の中で、ちょっとおとなしい子猫が気になりました。ロシアンブルーの男のコでした。「このコはジャックも気に入るんじゃないかな」と不思議に迷いもなく決めたそうです。

『ジャックと豆の木』から、名前は「おまめ」。おまめが初めてDさんのおうちに来たとき、ジャックはキャリーを覗いてシャー！「でも、おまめは大きく反応することなく落ち着いた顔。静かでびっくりしました」とDさん。ミャーミャー甘えてくるジャックと違い、ほとんど声を出さない寡黙なおまめ。「こんなに小さいのに、弟を見つめるお兄ちゃんのような目をしてる」というのが最初の印象だったそうです。

おまめはとっても賢くてマイペース。ジャックはそんなおまめのにおいをケージ越しに嗅いだり体をくっつけたり。おまめも静かに、安全な場所かどうかをくりくりした目でチェックしていたでしょう。ジャックが甘えんぼうなことや、Dさんがおまめに向ける穏やかな声や話し方から「ここは大丈夫、安全な居場所だ」とわかったのです。

Question
06

名前を決めたときのことを思い出してみてください。

このコの名前を考えたときは、どんな気持ちでしたか?
かわいい顔を見ていたらすぐに決まりましたか。
全然決まらなくて、長く迷いましたか。
ほかにも名前の候補はありましたか。
「いつか猫を飼ったら……」と、はるか前から
心に温めていた名前もあったかもしれませんね。
そして、その名前に決めた理由は何でしたか。

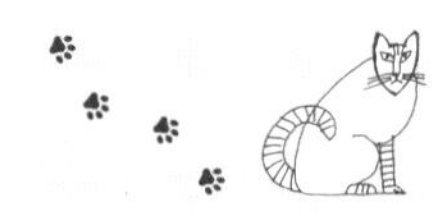

from doctor

猫の名前を考えるのはとても楽しみですね。自分が好きな名前をつけられ、名づけ親になる幸せ。オンリーワンの愛猫になるはじまりです。このコを見ながら「どんな名前にしようかな」と、なんだか自分の子どもに名づけするみたいに責任も感じつつ、とてもうれしかったのではないでしょうか。アニメの主人公や憧れのスポーツ選手、憧れの芸能人の名前など、いろいろ候補があったかもしれませんね。もし「候補の名前をいくつか呼んだら唯一反応した名前があったので、それに決めた」なら、それはこのコ自身が名前を選んだのかもしれませんね。

名前は、あなたからこのコへ贈った初めてのプレゼント。毎日呼ぶたびに、あなたの大好きな気持ちがこのコに伝わり、このコは名前の響きが大好きになっていくのです。

Question

このコのお母さん猫を描いてみましょう。

このコには、自分を産んでくれたお母さん猫がいます。
ブリーダーから迎えている方はお母さん猫を見ているかもしれませんが、
見たことがない方も多いかと思います。
このコはどんなお母さん猫から生まれてきたのでしょう?
お母さん猫を見たことがない方は、このコの顔を見ながら、
「目や鼻はこんな感じかな?　お母さん猫に似ているのかな?」と
想像しながら、お母さん猫の似顔絵を描いてみましょう。

from doctor

お母さん猫がこのコを産んでくれたから、あなたはこのコに出会うことができました。今の当たり前の幸せな日常は、お母さん猫がつないでくれた運命。そんな感謝の気持ちも込めてお母さん猫の絵を描いていると、このコを産んだときのお母さん猫の気持ちが伝わってくると思います。このコの体を舐めたり温めたり、おっぱいをあげているお母さん猫の愛情を受け取りながら、あなたもお母さん猫になってみましょう。このコと身体をくっつけて心音や息遣いを聞かせていると、このコのほうからあなたの胸の上に乗ってくるかもしれません。心から信頼している証です。あなたの心にも、お母さん猫になれた幸せがあふれてくるでしょう。

Question

08

このコのお父さん猫を描いてみましょう。

猫は地域で生まれることも多いため、
お父さん猫の情報はほとんどない場合が多いかもしれません。
でも、もちろん、このコにはお父さん猫もいます。
このコに「どんなお父さんだったのかな?」って話しかけながら
想像してみませんか?

from doctor

お母さん猫の次は、お父さん猫を想像してみましょう。

お父さん猫がいたから、あなたはこのコに出会えたのです。このコはお父さん猫のことを覚えていないかもしれません。でもきっと、このコの中にはお父さん譲りの気質があり、堂々とした強さがあったり優しかったり、ちょっと気が弱かったり怖がりだったり。お茶目な一面もあるかもしれませんね。外を歩きながら「あの猫がうちのコのお父さんかな」なんて、ちょっと親しみが湧いたことがあるかも。そんなお父さん猫に代わってあなたがこのコに教えてあげたいのは、どんなことでしょうか。

Question

09

このコのきょうだい猫を描いてみましょう。

猫はきょうだいの絆が深い動物です。
生まれたばかりの子猫は、互いにくっついて眠っています。
おっぱいを競い合って飲んでいたり、抱き合ったり。
どんなきょうだいたちの姿が見えてきますか?
同じ毛色でしょうか?　似ているけれど少し違う?
性格はどんなコたちだと思いますか?
想像しながら描いてみましょう。

from doctor

このコにはきょうだいがいました。目が開かないうちから、お母さん猫のおっぱいを競争して取り合い、重なり合いながらも心地よかった互いの温もり。ひとりではない安全感に包まれていたと思います。きょうだいといっても毛色や模様がまったく違い、見た目は似ていないことも多いですが、一緒に寝たりプロレスごっこしたりしながら成長する、心を許せる仲間です。

もし、きょうだいと一緒にホームを得られたらどんなに幸せでしょう。そんなことを想像しながら絵を描いていると、新たな発見があるかもしれません。気づくと、このコもあなたのそばで、きょうだいの絵を覗き込んでいるかもしれませんね。

CHAPTER.1 Column

Case of Grief Care

このコのために、出会いの奇跡を実感してほしい

私はこれまで、マレーシアと日本を行き来し、数えきれない猫との素敵な出会いをしてきました。必然ともいえる出会いを奇跡的に果たしてはじまった猫とのハッピーライフ。出会うたびに彼らは、「人間の頭で考えるのではなく猫の目から世界を見ることが大切なんだ」と私に教えてくれたのです。現在の私になるまでに「猫との出会い」がどんなに深く影響を与えてくれたことでしょう。このような私と猫の出会いもまた、必然の奇跡だったのだと思います。

マレーシアでは、地域に生きている猫の姿が当たり前に身近にあります。自然体で堂々と生きる姿は、「猫は自由を愛し、自分としてまっすぐ生きる動物」であることを教えてくれます。

ペットになった猫は、その「○○ちゃん」としての生き方をまっとうしたいのではないでしょうか。その生き方を尊重する仲間になりたいですね。

病気の予防や病気については情報を得られる場がありますが、「猫」そのものを知るための機会はあまり多くないため、猫と人の間に温度差が生まれています。猫は学校で教育を受けることもないわけですが、学校では学べない、生きるために必要な知恵や死についての教育をしてくれる「師」だと私は思うのです。

そんな猫と出会えた幸運は宝物。

猫と暮らすことで、自分が憧れる生き方を目の前の景色で眺めることができます。その生き方が人の心に勇気を与えてくれるとしたら、猫との暮らしそのものがあなたのグリーフケアになっていると納得していただけるでしょう。

ここで「出会い」のストーリーをひとつご紹介させてください。

Aさん夫妻と茶トラの男のコ、ムサシの出会いの場所は、奥様の実家の物置でした。ご主人は大工さんで、実家の雨漏りを直すため、納戸に脚立を取りに行きました。すると、薄日が差す中、消えそうな声で鳴く声が聞こえました。目をこらすと、ちょうど脚立の足元にムサシがいたのです。あまりに小さくガリガリで目も開いていない姿だったため、ご主人は、最初は子猫だとは思わなかったそう。ちょっと怖かったけれど、手に乗せてみたら突然、顔を上げて大きな声でミーミー鳴き始めました。ご主人は大慌てで家に戻り、手のひらの上で必死に鳴くムサシを奥様に見せると、奥様は、驚きながらもなぜかポロポロと涙をこぼし、それを見たご主人も、胸に何かが込み上げ……。

カウンセリングを進めるうちにわかったことですが、Aさん夫妻はその1年前、ようやく授かったお子さんを流産されていました。そのグリーフを心の奥に深く抱えていたのです。

「この子を助けなくては！」。Aさん夫妻は大急ぎで近所の動物病院に駆け込みましたが、瀕死の子猫が助かるかどうかはこのコの生きる力次第だと告げられます。

この日から、夫婦一致団結しての子猫育てが始まりました。専業主婦の奥様が中心でしたが、ご主人も仕事から帰るとムサシを見守り、ミルクをあげたりオシッコの世話をしたり。その間に奥様が夕食の支度。そんな日々が続きました。ムサシと出会ったことで、夫妻はいつのまにか「パパとママ」になっていました。

ガリガリだったムサシは、立派な男のコに成長。パパとママが大好きな甘えんぼうの息子になりました。Aさん夫妻も互いをパパ、ママと呼び合います。職業柄、夕食には職人さんが集まることも多いAさん宅。ムサシがいると、食卓の話題は自然とムサシ中心になります。職人さんから「ムサシ、貫禄だねー！　さすが、後継ぎ！」と言われるのがうれしくて、自分がほめられているような幸せを感じるそうです。食卓に笑顔が戻りました。

「ムサシは自慢の息子さんですね！」とお伝えすると、ご主人はうれしそうに「ムサシはあっという間に職人さんたちの人気者になったんだよね」と。奥様はご自身が小さいころ、痩せ型でからかわれたため、ガリガリだったムサシがたくさん食べる姿や、ぽっちゃりした体を投げ出して寝る姿に癒されています。

流産という悲しい体験によってAさん夫妻それぞれが心の中に抱え込んでいたグリーフを、ムサシが癒していったのです。

もし前日に雨が降らなかったら……？　ご主人が雨漏りの修理に行かなかったら……？
あの日、雨が上がって日が差していたから。たまたま現場の仕事が入っていなかったから。ムサシがいたのが、ちょうど脚立の足元だったから。ムサシがかぼそくとも声を出していたから。

だからムサシを発見できたのです。生きているムサシに会えたのは、奇跡のタイミング。流産したお子さんも男の子だったことから夫妻は、ムサシは亡くなった子どもの生まれ変わりだと感じていました。

「息子さんの生まれ変わりのようなムサシに出会えて、本当によかったですね」とお話ししながら、私は「必然の奇跡」にまた遭遇したと、心が熱くなりました。すると、のんびりお昼寝していたムサシが顔を上げて私を見ました。そのとき私は、ムサシは生まれ変わりではなく、亡くなった息子さんがパパとママのもとに連れてきた命ではないかと感じたのです。子どもを失って悲しみを抱える夫妻のもとに、流産から1年というタイミングで、母猫を失い、瀕死でも頭を上げて力強く鳴いたこのコを連れてきてくれたのではないかと。感じるままにそうお伝えしていると、ムサシは尻尾をパタンパタンと動かしました。流産した息子さんはきっと、ムサシの中に生きていますね。愛情あふれるこのおうちには、ふたりの息子たちがいます。

私が出会ったとき、ムサシは12歳。病気がわかり不安でいっぱいだったAさん夫妻は、カウンセリングの後、「不安で仕方なかったけれど、ムサシにはお兄ちゃんがついているんですね。甘えんぼうの弟だから、私たちが不安を見せたらふたりとも怖がってしまいますね」と言って、息子たちに出会えたことを心のお守りに、楽しかった今までの日常を引き続き守っていく勇気をもち、笑顔を見せてお帰りになりました。

出会えたタイミングは必然の奇跡。大好きな人のもとに、亡くなった子どもが新しい出会いを運んでくれたのだと感じるストーリーに何度も何度も出会ううちに、命がバトンタッチされるのだと感じるようになりました。Aさんのふたりの息子さんはパパとママのいる安全基地が居場所です。生きている間も亡くなってからも、これからもずっと。

愛する我がコが病気になったときは出会えた必然の奇跡を思い出してください。体は病気になっても、あなたの出会った「○○ちゃん」があなたを仲間だと信じる心は、何も変わらないのです。

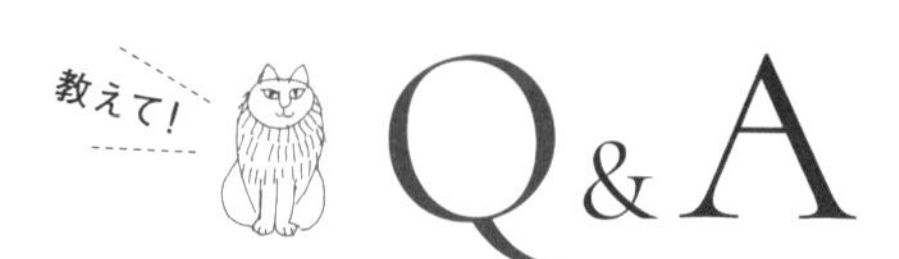

Q グリーフケアとは そもそも何ですか?

A 「動物医療グリーフケア」は、2004年ごろに誕生しました。

2000年代初頭から、こんなにも動物医療が発展する中でいろいろな方法が増えたのに、ペットを亡くしたあとの苦痛が大きくなってしまい、もう次のペットを飼いたくない、飼う自信がないといった飼い主さんたちの声をたくさん耳にしていました。その中には治療に関わる後悔や自責、罪悪感のような気持ちで長い日々、ペットロスから回復できない方々もたくさんいました。「動物医療に何かが足りない……。それは治療を受けるペットや人の心のケアではないか」と、私は思いました。そして2004年ごろ、カウンセリングの勉強中にグリーフケアに出合い、「動物医療グリーフケア」を考え出しました。ペットロスからはじめるのではなく、ペットが生きている日常からグリーフケアが必要だと考えた私は、「待合室診療」という新しい診療スタイルでペットや家族のグリーフケアをスタート。ひとりではじめたグリーフケアでしたが、今では動物病院はもちろん、飼い主さんやペットに関わるたくさんの方々から賛同していただけるようになりました。

Q グリーフケアは どこで実践されているのでしょうか?

A 動物病院の待合室に加え、遠隔カウンセリングなどで グリーフケアを実践しています。

現在、私は家族とマレーシアに住んでいます。そして毎月、往復しながら日本に2週間、マレーシアに2週間という生活スタイルを続けてきました。日本滞在中は、提携している動物病院で「待合室診療」および「個別カウンセリング」を実践しています。また飼い主さん向けのセミナーでは、様々なご相談にグリーフケアアドバイスをさせていただきながら、予約制で動物病院以外のご自宅、ラウンジなどでの面談も実践しています。マレーシア滞在時にはLINEやZoomを利用した遠隔カウンセリングなども行っています。そのほか、メールでのカウンセリングは随時、対応しています。将来は全国どこの動物病院でも「動物医療グリーフケア」という心の医療を受けられるようにと願い、各種講演会および院内セミナーに力を注ぐ一方で、ペットと暮らす飼い主さんにも知っていただきたいという思いから通信講座を開講しました。これからも、グリーフケアがペットやご家族に届くように発信していきます。

CHAPTER.

2

このコと私が初めてしたこと

あなたはこのコと、どんなふうに笑っていますか?
大笑い、照れ笑い、ホッとした笑い、苦笑い……。
このコは、自然体であなたを笑顔にさせる天才ですよね。

Question

10

初めての部屋を
どんなふうに探検していましたか？

初めて我が家に来て、初めての部屋。それはこのコにとって未知の世界。
初めてケージから出したとき、どんなふうに歩いていましたか。
慎重でしたか？　大胆でしたか？
最初に向かった先はどこでしたか？　その次は？
なかなか落ち着かなかったかもしれませんね。
最後はどこに座りましたか？
このコがどんな表情をしていたかも思い出してみましょう。

from doctor

Aさんの会社の帰り道、どういうわけかついてきたクロ。「翌日も、会社から帰るとマンションのドアの前にちょこんと座っていて、まるで私の帰りを待っていたようでした」とAさん。ごはんをあげるとうれしそうに食べるクロは、痩せていたけれどとてもきれいな黒猫で、以前から知り合いのような不思議な気持ちになったそうです。クロを抱っこしておうちに連れてきたとき、クロはあまりに自然体でリビングに入り、ソファでゴロゴロ。3年前に亡くなったチロのようにソファでくつろぎました。チロが弟を届けてくれたのかもしれませんね。

Question

11

初めての夜のことを
思い出してみましょう。

このコを家に迎えた初めての夜。
あなたはこのコを、どこにどんなふうに寝かせましたか?
そのときのために、何か事前に準備をしましたか?
どんなようすでこのコは眠りについたでしょう。
あなたは、初めての寝顔を見て、どんなことを感じたでしょう。
思い出して書いてみましょう。

from doctor

お母さん猫やきょうだい猫と離れて寝る初めての夜。このコがお母さん猫を感じるような肌触りがいいだろうと、ふわふわのブランケットを用意したBさん。ケージの中ですぐにブランケットをふみふみする子猫の、あまりにかわいい姿に癒されたそうです。子猫はしばらくふみふみしたあと、目を細めてそのままブランケットに包まれ、眠りに。気づくとBさんもケージの前で寝落ちしていたそうです。子猫は自然体で人の緊張をあっという間にほぐす天才です。

Question

12

初めて家で食べたごはんは何でしたか?

ごはんや水のお皿を準備したり、置く場所を決めたりなど、
このコがごはんを食べる姿を見るのを
あなたはとても楽しみにしていたことでしょう。
どんなごはんを準備しましたか?　このコは気に入ってくれましたか?
どんな顔で食べていたかも、思い出してみてください。

from doctor

初めて来たおうちで最初からガツガツ食べてくれるコもいれば、食べ物に興味を示さなかったり、集中しないコもいます。でもそれは食欲がないのではなく、まだ安全確認している途中で忙しいのかもしれません。体調が悪くて食べないのか、別の理由で食べないのか……例えばこのコが好むフードの種類やカリカリのサイズ、または食べたいタイミングが違うのかもしれません。飼い主は朝晩、規定量を食べてくれるとホッとしますが、猫は食べたいときに食べたいものを食べたいだけ食べる、そんなマイペースを愛するからです。我がコの食事の癖も、ゆっくり観察していきましょう。

Question

13

初めてこのコが家で水を飲んだ姿を覚えていますか?

猫が水を飲むようすは、おもしろいですよね。
不器用にぴちゃぴちゃ音を立てていたり、
無心に集中している顔もかわいいですし、
飲むときに真顔なのも、なんだか笑えてしまいますね。
初めて見たとき、あなたはどんなことを感じましたか。
水を飲む姿にも、実は個性があります。
このコの表情や特徴を書いてみてください。

from doctor

シェルターから譲渡された7カ月のライトが水を飲んでくれないので当初はとても心配していたCさん。シェルターに相談すると、シェルターでは流れる水を自由に飲んでいたことがわかり、さっそくウォーターファウンテンに。ライトがちょこんと座り、蛇口から出てくる水を触ってチェックしたあと、ぴちゃぴちゃ音を立てながら飲む姿がかわいくて、横でずっと見てしまったと、うれしそうに話してくれました。水を飲んでいるだけなのに人の心が和んでいく、これが猫の才能です。

Question

14

初めて用意したトイレを覚えていますか?

猫は教えなくてもトイレが上手にできるといわれています。
でも、こだわりがあり、好みが表れます。
最近はいろいろなタイプのトイレも出てきましたが
あなたが用意したトイレは、どのタイプでしたか。
砂? おから? コルク? 新聞? トイレシーツ?
このコに気に入ってもらえましたか? トイレは上手にできたでしょうか。
それを見て、あなたはどんな気持ちになりましたか。

from doctor

小さな体でよいしょっとトイレに入っていく姿。おうちに来て、自分が用意した猫砂の上で初めてオシッコをする姿を見るのは感動ですね。でも、ときどき、違うこだわりをもつ子猫に出会います。
マルは猫砂の上で寝て、タオルや座布団の上でオシッコ、床でウンチ。これにはDさんもびっくり。今まで出会った猫と違い、トイレのことが大きなストレスになっていました。Dさんに怒られることで緊張するマルは、猫砂の入った箱の中が安全基地になるという悪循環。そこで、まずはマルがリラックスできるベッド作り。次にマルに猫砂を覚えてもらえるよう焦らずトレーニングした結果、猫砂をトイレだと認めてくれたのです。苦労した分、マルが初めて猫砂にウンチをしたときの感動を、Dさんは忘れることはないでしょう。
猫がトイレをしているときの、一点を見つめるなんともいえない真面目な顔は本当にかわいいですよね。トイレをしているだけで人を癒すとは……お見事です！

Question

15

初めてこのコに
オモチャをあげたときのことを
覚えていますか?

猫は遊ぶのが大好き。でも、オモチャにはそれぞれ好みがありますよね。
気に入ってよく遊ぶオモチャもあれば、見向きもしないものも……。
あなたはどんなオモチャを用意しましたか?
既製品でしたか。それとも手作り?
好きなタイプがわからなくて、あれこれ用意したかもしれませんね。
あげたオモチャは気に入ってくれましたか?
オモチャでどんなふうにこのコと遊びましたか?

from doctor

このコとオモチャで遊ぶ前、オモチャを選んでいるときから人の心は幸せが満ちてきます。「このコはどんなオモチャが好きかな」といろんなオモチャを手に取るのだけれど、気づくと自分の好きなものを選んでいることも“あるある”ですね。家に帰り、選んだオモチャを初めてこのコに見せたときに目がらんらんと輝くと、あなた自身のテンションも猫のように上がったことでしょう。

子どものように大笑いしながら夢中で遊べる時間。猫と出会っていなかったら、こんな楽しみは味わえなかったでしょう。家に帰ると遊び相手がいる暮らし。このコを「遊んであげる」ようでいて、実は人のほうが「遊んでもらいたい」。遊んでもらえたら幸せに充たされる。猫は人のテンションを上げる、そんな遊びをいっぱい知っているのです。

Question

16

初めてこのコが登った一番高い場所はどこですか?

猫は高いところを愛します。
びっくりするような運動能力で、信じられないような高い場所に行くことも!
このコはどんなところに登りますか。
登った中で、一番高かったのはどこでしょう?
それはいつのことでしたか。そのときのことを思い出してみましょう。
高い場所から景色を眺めていたこのコは、どんな気持ちだったと思いますか?

from doctor

「どこを探してもいない……！　どこに行ったの！」と必死に探すとき、家のどこかに絶対にいるはずなのに、途方に暮れますよね。そんなときに「どうしたの？」とでも言いたげに、クローゼットに重ねた箱の上からひょっこり顔を出したり。

我が家のりんも、大捜索していたとき、なんとなく足音がすると思ったら、台所の天井裏にいました。あのときの家族の衝撃を懐かしく思い出します。私は高所が苦手なので、高さに恐れをもたない猫がうらやましいです。人の想像を超える行動が自然にできてしまうのも、猫の才能ですね。

Question

17

初めてこのコを怒ってしまったときのことを覚えていますか？

猫は好奇心がとても強いため、
このコは楽しくてもあなたにとっては困ることもあったでしょう。
例えば、カーテンに登ったり、お気に入りのソファでツメとぎしたり……。
あなたが思わずこのコを怒ってしまったのは
いつ、何をしたときだったか、思い出してみてください。
怒っているあなたを見て、このコはどんな反応をしていましたか？

from doctor

Eさんがぎっくり腰になってしまい、数日してようやくゆっくり歩けるようになったとき、マロンが足首を狙って咬むようになってしまいました。最初は優しく注意していたEさんですが、あまりにしつこいマロン。腰の痛みもありピリピリしていたEさんは、ソファの陰から不意打ちで足首に飛びつかれて、思わず「マロン！」と大きな声で怒鳴っていました。

マロンは一瞬動きが止まり、Eさんをじっと見つめましたが、Eさんが歩き始めるとまた足首に。カウンセリングでは、マロンはEさんのいつもと違う歩き方に好奇心が高まってしまったこと、数日寝込んでいたEさんが出てきたので遊びに誘いたかったこと、マロンはエネルギーたっぷりの少年であることをわかってもらいました。Eさんの足が獲物になってしまいましたが、Eさんを傷つけたくてしている行動ではないのです。マロンの欲求を満たすためにノーズワークの知育おもちゃをアドバイス。ひとり遊びできるようになったマロンです。

Question

18

初めての留守番や お泊まりを思い出してみましょう。

猫は、お留守番は上手ですが、お泊まりは苦手。
初めてお留守番させて、帰ってきたときはどうでしたか。
あなたの心配とは裏腹にこのコはマイペースで、
急いで帰ってきたあなたは拍子抜けしたかもしれませんね。
でも、お泊まりは、ようすが違ったかもしれません。
そのときこのコは、どんなようすでしたか?
用意した「お泊まりセット」も書き出してみましょう。

from doctor

初めてのお留守番も、思ったよりうまくいったかもしれません。空間の安全確認さえできていれば、猫はマイペースに自由を楽しみます。まだ慣れていないときには、居心地よくした3段ケージを置くのもいいですね。おうちの中のさらに安全なテリトリーになるでしょう。ドアを開けておけば、出入り自由のお気に入りの場所になるかもしれません。

でも、お泊まりとなるとこのテリトリーから離れるため、警戒心が上がるのは自然なこと。このコがテリトリーを感じられるアイテムと一緒に移動することがポイントです。もちろん、いつも食べている食事や食器、自分のトイレもあれば強い味方に。このコのテリトリーを“空間移動”させることで、オンリーワンのVIPルームができあがります。このような「このコのお泊まりセット」を準備しておくと、予測不能な自然災害の際、預けられた先でひとりぼっちではなく、おうちやあなたを感じることができるでしょう。

Question

19

初めて動物病院に行ったときのこのコのようすを思い出してみましょう。

このコのテリトリーは我が家です。
病院に連れていかれることは、
テリトリーから突然連れ出されることを意味します。
テリトリーから急に離れたとき、このコはどんなようすでしたか。
思い出して書いてみましょう。
そのときこのコはどんな気持ちだったと思いますか。

from doctor

ワクチン接種で動物病院に初めて行ったのは、マリが2カ月くらい、おうちに来てすぐのときでした。マリは娘さんに抱っこされてリラックス。診察台の上でも好奇心たっぷり。「あまりにかわいくて、私は注射がちょっと不安だったのに、オヤツを舐めながら注射されている姿に安心しました」と話してくれたFさん。それから5年、今でもワクチン接種のときには、某スティックタイプ液状オヤツ。体は大きくなったけれど液状オヤツを舐めながら注射される姿がかわいい、食いしんぼうのマリ。小学生だった娘さんのほうが、自分の予防注射のときにマリから勇気をもらっていたそうです。これから先、いつか治療が必要になったとき、診察台が恐怖ではなくごほうびの場所になっていることで、あの液状オヤツがマリの心の味方になってくれるでしょう。

Case of Grief Care

感情移入と共感の違いを理解してほしい

猫との暮らしがはじまると、このコにもあなたにも、初めてで楽しいことがいっぱい。一方で、「なんで？」「どうしてこんなことするの？」「どうしたらいいの？」という不安や悩みもあるかもしれません。それは、日常生活で起きる自然なグリーフです。

「猫と人の目線の違い」がわかるストーリーをご紹介します。

アトムはアメリカンショートヘアの男のコ。Bさんはふたりの子どももだいぶ大きくなり、ペットと暮らしたら楽しいだろうと思っていました。ある休日、家族で行ったペットショップで2カ月のアトムと出会いました。目をまんまるにして見つめる姿があまりにかわいく、子どもたちもすっかり気に入って迎えることに。Bさんもアトムが初めての猫。しぐさや行動すべてがかわいくて、子育ての疲れも癒してもらう日々。「猫は犬と違って散歩も必要ないしトイレも失敗しないし、本当に楽でよかった！」。

順調に思えた日常だったのですが、4カ月になったアトムは、Bさんや子どもたちの手を咬むようになっていました。

Bさんもご主人も、最初は甘噛みで痛くなかったのでそのまま遊ばせていたのですが、アトムはだんだん興奮するように。手が傷だらけになるけれど止める方法がわからず、「とにかく子どもたちが咬まれないようにしなくては」と、アトムが手を狙ってくると大きな声で叱るように。子どもたちが帰宅するとアトムをケージに入れて出さないようにしました。子どもたちは触ったり抱っこしたりしたいけれど、咬まれるのも怖い……。

出してほしくてミャーミャーと大騒ぎするアトムがかわいそうだけれど、かまってはいけないと思い、無視。実はそれまでも、アトムがケージにいるときは安心していましたが、帰宅した子どもたちがケージから出すと、楽しそうに遊ぶのを喜びながらも、気づかずにアトムを踏んでしまうのではないかという緊張もあったそうです。母親の目線でつい大きな声で「危ない！」と叫んでいたり、「だめだめ！」と制止したり。アトムと子どもたちの間に“安全感”ではなく“危機感”を与えていたのです。

アトムは大きな声で叱ってもやめないどころか興奮してもっと飛びついてくるため、少し恐怖さえ感じていたBさん。オモチャも使ってみましたが、気づくとやはり手を狙われているので、アトムと距離が生まれ、おうちの中でだんだん笑顔が消えていきました。ひとりでグリーフを抱えることによって子どもに対しても余裕がなくなり、感情的になってしまうこともあったそうです。

カウンセリングでは、まずこのコと出会ったときのことを思い出していただきました。アトムにも生んでくれた母猫がいたこと。母猫から突然離されグリーフを抱えていたアトムとBさん家族が出会ったこと。うれしそうに笑っていた一家にアトムが引き寄せられたのは、アトムの心が欲する相手だったからだということ。

Bさん自身もふたりの子どもが少し手から離れ、3人目を欲しい気持ちもあるけれど自信がなかったとき。小さなアトムをBさんの心が欲したのだと思います。

初めての猫ということもあり、かわいいアトムに「手」を与えてしまった夫妻。特にパパはアトムの動きがおもしろくてエスカレート。アトムは子猫なので素直に興奮し、狩りの本能は絶好調。獲物を捕まえるために咬むのは猫の自然な行動ですが、怒られてしまう。これはアトムのグリーフとなり、混乱してしまいます。

Case of Grief Care

きょうだい猫と一緒に成長すれば、互いにじゃれ合って遊ぶ中で咬む力加減も自然に学べますが、アトムにその機会はありませんでした。家族の「手」は柔らかく温かく、動きもあり、仲間としてのにおいもあります。その「手」をきょうだい代わりに遊ぶようになる子猫。力加減もやめどきもわかりません。大きい声を出したり、手で押さえつけたり叩いたりしてしまうと、猫は恐怖を感じて警戒するようになってしまいます。

「まずは『手』を使わない遊びをしましょう。手を狙ってきたときは両手を見えないように隠し、猫じゃらしやヒモなど好奇心が高まるオモチャを。その後、ケージに誘導し休憩してもらうようにしましょう」とお話しするとともに、ケージは3段タイプをお薦めしました。その後、アトムは乳歯から大人の歯になりましたが、家族は手を咬まれることはほとんどなくなりました。

そして、7カ月になったアトムは去勢手術を受け、帰宅してから少しおとなしくなったようでしたが、しばらくすると人のふくらはぎを咬むように。歩いているだけで突然狙われるため、「痛い！」と悲鳴を上げ、「何するのよ！」「やめて！」と口調が強くなるのも当然です。子どもたちも怖くてバタバタと逃げ回り、Bさんもアトムを捕まえようと追いかけていました。

日常のようすを傾聴していくと、Bさんはスリッパを履いており、スカートはひらひらタイプ。アトムの好奇心が高まる服装やスリッパはやめる提案をしました。去勢後にちょっとおとなしくなっていたアトムは、痛みがとれてくると、育ちざかりの少年同様、リラックスするとともにパワーがあふれてきました。それは本来、外の世界でジャンプしたり屋根など高いところを歩いたり、好奇心のまま探検することで発散されるエネルギー。それが有り余っている少年猫にとって、動く足は格好の獲物になりやすく、獲物が反応すればするほどやりがいを感じてしまうのです。

まずはアトムの好奇心を活かし、キャットタワーは外が見られるように窓のそばに配置。その隣に本棚を移動し、動ける範囲を広げました。小窓をつけた段ボール箱を重ねたりつないだりしてトンネルも作り、遊べるようにしました。
また、アトムの不安感も大きかったため、不安を和らげるサプリメントを食事にプラス。手でリアクションしたり大きな声で怒らないように気をつけてもらいながら、アトムに「共感」する姿勢を大事にした安全基地作りをした結果、アトムはひとり遊びもできるようになっていったのです。

私が大事に考えているのは、猫との暮らしの中で安全基地となるテリトリーの存在です。安全基地の中で危機感を高めてしまうと、猫はすぐに察知し、自分を守ります。その行動が時に人の目線では問題となり、感情をそのままぶつけてしまうことで猫のグリーフとなってしまうのです。
人が主役となってしまう「感情移入」ではなく、このコの目から景色を見て感じる「共感」は、このコのグリーフケアになるでしょう。「共感」とは相手の中にすっぽり入るイメージをもって相手の目から景色を眺め、その気持ちを共有することです。

それぞれの状況を理解し、共感できるのは人間だけだといわれます。「感情移入」ではなく「共感」の姿勢がグリーフケアとなり、猫も人も互いがエネルギー源となる仲間になれるのです。

Q グリーフは特別なものなのですか?

A 人にとってグリーフは、いついかなるときも自然に起こりうるものです。

自分にとって重要な対象を喪失、または喪失するかもしれないときに誰にでも表れる、心と身体の自然な反応をグリーフといいます。“大切”の対象は人によって違いますが、例えば、配偶者、子ども、両親や兄弟姉妹など家族、親友や仲間、恋人など「人」、犬や猫など「ペット」、食べる、動く、寝る、トイレの自由という「尊厳」、家、学校、会社など「場所」。また、自然や安全社会など「環境」。さらには手紙、お守り、ぬいぐるみ、貯金など目に見える「モノ」であったり、仕事、趣味、ペットの世話、活動、地位、成績、プライド、目的、自信、期待、信頼など目に見えない「気持ちや役割」。そして、ありのままの「自分」や自分がこうあるべき「自己理想像」など様々です。愛猫家にとっては、自分が当たり前のように愛猫と毎日続けてきた「平穏な日常」が宝物という場合が多いため、愛猫の健康の喪失や入院、別れというシーンでは、大きなグリーフが起こりうるのです。

Q 猫はどんなときに、グリーフが起こるのですか?

A 猫の場合、あなたと暮らした「当たり前の幸せな日常」を喪失したときなどに起こりえます。

もちろん個体差はありますが、ペットとして生きる猫にとっての重要な対象を喪失するときに、心とカラダに表れる反応をグリーフと考えています。「人や家族」、「動物の仲間」、「食べる(ごはん)」、「動く」、「寝る」、「トイレ」の安全は動物の尊厳です。猫には「名前」や「呼び名」、人の「笑顔」、「ふれあいやコミュニケーション」の時間、「オモチャや遊び」の時間、キャットタワーや高い場所、寝床やソファなど「リラックスできる場所」、マイペースで自由な「生活リズムや習慣」などがとても大切です。これらがそろっている、住みなれた「家」は安全なテリトリーとして最重要であり、人と出会ってから「名前」を呼ばれ、「ふれあい」ながら「大好きな人の笑顔」がそこにはあります。そんな「健康」に毎日繰り返し続けてきた「当たり前の幸せな日常」は猫にとっても宝物。このコの幸せは、あなたの幸せの上に成り立っているのです。

CHAPTER.

3

このコの好きと嫌い

このコは、自分の気持ちに正直に生きています。
「みんな違っていいんだよ。それがママやパパの個性でしょ?」
このコはあなたに、個性の大切さを伝えてくれています。

Question

20

このコの一日を教えてください。

このコはいつも何時ごろに起きて、まず何をしますか。
その次にすることは何でしょう。
この時間はいつもこの場所に、その後はここでこれをしている、など
猫は日課がだいたい決まっていますね。
このコの日常を教えてください。
このコの一日をゆっくり観察したり、
猫になったつもりで一緒に過ごしてみるのもいいでしょう。
新たな発見があるかもしれませんね。

from doctor

「猫になりたい……」って思うこと、ときどきありますよね。これは「現実を離れ、休憩しようよ」っていう心のサインかもしれません。
猫は人と大きく違う生き方をしています。常識や正論にとらわれず、自分の気持ちのまま率直に行動できる猫。型にはまらない自由を愛する猫の生き方は、人間にとってなんとも魅力的です。
猫になりたいと思ったときには、思いきって猫になって一日を過ごすことで、自分自身を客観的に見ることができるかもしれません。このコがあなたに新たな気づきをくれるでしょう。

Question

21

このコは来客のとき
どんなことをしているでしょうか。

おうちはこのコにとって安全なテリトリー。
このコには、来客予定はわかりません。
穏やかに暮らしていたのに、ある日突然の来客。
そのとき、このコはどんな行動をしましたか?
気づくと姿が見えなくなっていたかもしれませんね。
それとも興味津々で寄ってきましたか?
来客中、ごはんやトイレはどうでしょう。
このコのようすを書いてみましょう。

from doctor

久しぶりに友人が遊びに来るため準備していたAさん。そろそろ玄関のベルが鳴るかなと思ったとき、さっきまでソファに寝ていたチャチャとココがいません。ふたりに会うのを楽しみに来てくれた友人には「そのうち出てくるからね」と伝えて団らん。でも、待てども待てども姿は現れず……。名前を呼びながら探したところ、ベッドと壁の隙間に挟まれるように、ぴったりくっつくふたりの姿が。
こんなにも怖かったとは……。必死に身を隠しているのに見つけちゃってごめんごめん。
友人が家を出ていくと同時に、いつものふたりがいる景色に戻っていました。結局、友人にはふたりを自慢できなかったけれど、ますますふたりが愛おしくなったAさんです。
オシッコに行きたくても我慢してしまうかもしれないので、来客が長くなるときには隠れ部屋にそっとトイレを置いてあげると、このコも安心します。

Question

22

このコが初めて本気で怒ったのは どんなときだったでしょうか?

このコがいつもと違う表情で悲鳴を上げたとき、
あなたはとってもショックだったことでしょう。
でも、それはこのコにも、とてもショックな出来事だったのです。
初めてこのコが本気で怒ったときの状況を覚えていますか?
今も、同じ状況になったときは同じように怒りますか?

from doctor

我が家の13歳の女のコりんは、もともとひとりを好むタイプ。1歳半の男のコ、ボルチカを新たに迎えたときのボルチカへの怒りは、今まで見たことのないりんの姿でした。りんにしてみれば、ある日突然、自分のテリトリーに見知らぬオス猫がいたという衝撃。「かわいい弟としてゆっくり受け入れてくれるだろう」なんて、私の勝手な想像だったのです。

りんがボルチカに見せる、嘘のない姿。ここは私の大事なテリトリーなのだと守るプライド。顔を近づけ目と目でにらみ合う、言葉を超えた世界。鼻から出血しても決して後退しないりんの心の強さ。自分にとって大切なものを全力で守ろうとする姿。ケンカをしないようにする方法ばかり考えていた私は、ハッと気づかされたのです。ありのままの姿を見せ合い、お互いが受け入れていくために必要な唸り合いは、テリトリーへ入ることを許すために必要なプロセスなのだと。猫のコミュニケーションからの学びは深いのです。

Question

23

このコはどんなキャットタワーが好きですか?

家の外なら刺激がいっぱいですが、
家の中でも、このコが退屈しない工夫を考えましょう。
このコが気に入るキャットタワーが見つかるかもしれません。
どんなキャットタワーを好みましたか?
そのキャットタワーのどの部分を、特に気に入ったと思いますか?
キャットタワー以外でも、棚やタンス、積み重ねた箱などで
登れるものを作るのもいいですね。

from doctor

猫の身体能力はとても高く、その自由自在な体を使いたい本能があります。もちろんそのコの年齢や性格もありますが、この運動欲求を満たすためにキャットタワーを上手に使いましょう。せっかく買ったのにときどきツメをとぐくらいであまり使ってくれないキャットタワーも、ちょっとしたアイデアで愛猫の関心がガラッと変わります。外が見える位置に置いたり、隣にタンスや本棚などを置いて横にもつながるスペースを作ったり、ちょっと歩ける猫道を設けたりすると、猫は大喜び。運動の拠点となったキャットタワーがあることで、猫の日常に活気が出てくるでしょう。段ボール箱を積み重ねるなど、家にあるもので手作りすると、世界にひとつしかない貴重なキャットタワーになるかも。四肢に障害がある場合も、このコに合わせてハンモックやトンネルなどで特別仕様の専用キャットタワーを作ってあげると、このコも大喜び。モチベーション上がるかも！

Question

24

このコは
どこでツメをとぎますか?

外で暮らす猫はツメを切る必要はありませんが、
家の中で暮らしているコはツメが伸びてきます。
ツメとぎする姿は、なんともかわいいですね。
このコはどんな場所でツメとぎしていますか?
また、このコはツメ切りを許してくれますか?

from doctor

誰も教えないのに、猫は自然にツメとぎをはじめます。外にいれば木に登ったり屋根を歩いたりとツメが大活躍するため、ツメ切りは不要です。でも、おうちでの暮らしは、安全基地となる一方で、猫にとっては思いがけない災難となる行為がツメ切りだといえます。

ツメ切りをなんとか受け入れてくれるタイプのコもいれば、絶対に許さないタイプもいるでしょう。後者は動物病院での定期的な爪切りになることも多いのですが、病院での処置中、パニックになり息を荒げたり失禁してしまうコは、命の危険さえ感じているかもしれません。何も悪いことをしていないのに罰を与えられていると感じていたら、こんなに悲しいことはありません。将来、病気になったときに通院が大きなストレスになってしまいます。不安を和らげるサプリメントや薬を使うことも大切です。日本では負のイメージをもたれる「抜爪」ですが、超怖がりなコにとっては、定期的な恐怖のツメ切りから解放されるのであれば子猫時代の「抜爪」を望むかもしれませんね。

Question

25

このコと一緒に何をして遊びますか？

猫は本来、遊び上手な動物です。
ネズミのオモチャを投げると持ってきたり、ヒモにじゃれついたり
動くものを追ってみたり……。そんな姿はたまらなくキュートですね。
あなたとこのコはどんなふうに遊びますか？
あなたが「遊んであげる」というより「遊んでもらってた」
なんてこともあるかもしれませんね。

from doctor

猫を飼うまではこんな遊びができると思っていなかったBさん。何かを投げると取ってくるのは犬の遊びのイメージでした。でも、2歳のレオは、お気に入りのネズミのオモチャを投げると取ってきてはBさんの目の前に落とす、また投げる、ジャンプしてすごい勢いで取りに行く、持ってくる……そんな遊びが大好き。猫じゃらしやレーザーポインターの動く光などにも目を輝かせます。Bさんは感動したとうれしそうに話してくれました。ハンターとしての本能をBさんがほめることで、レオは楽しいだけではなく猫としての自信をどんどん高めていくことができています。

我が家のりんが私の足元にポトッと落とすポケットティッシュも、あなたの前に愛猫が運んでくるどこかで獲ってきたネズミも、"仲間"への貢ぎ物。あなたを信頼できる仲間だと認めている証です。

Question

26

このコが好きな
歌や音楽はありますか?

出窓から蝶や鳥など、外を眺めて楽しむ猫も多いですね。
このコと一緒に、ときどき自然を感じてみましょう。
川や滝の音、鳥のさえずりなど自然を感じる音の響きだったり、
神経を心地よくリラックスさせるような音色。
このコが眠くなる音楽もあるかもしれません。

from doctor

猫が眠くなる音楽の中には、川の水が流れるような音や激しい滝の音が使われていて、自然の山の中で暮らしている猫の姿が見えてきます。風の音、木々が揺れる音、鳥のさえずりや虫の鳴き声など、猫の周囲は様々な音色であふれていることがわかるでしょう。そのような音を聴きながら岩や木、塀や屋根の上で心地よくお昼寝。なんて気持ちいい穏やかな時間なのでしょう。室内で暮らす猫にもこんな穏やかで幸せな時間をプレゼントしたいですね。きっといつも以上に、まったりリラックスした寝顔を見せてくれることでしょう。もしこのコに治療が必要になったとき、おうちでお気に入りの音楽を聴きながら眠ることで通院ストレスを癒すことができます。このコがリラックスできる音色を探しておくのもいいですね。

Question
27

このコは
おしゃべりが好きですか?

猫は様々なキャラクターをもち、とても個性豊かです。
ほとんど声を出さないコもいれば、ずっとおしゃべりしているコも。
このコはいつも、どんなときにどんな声で話しかけてきますか?
それはどんなことを言っているのだと思いますか。
また、声は出さなくても、
静かに何かメッセージを発しているように
感じるときはありませんか?

from doctor

「うちのにゃんにゃんは犬みたいなんです」と、待合室でCさんは不思議そうに話してくれました。かわいいハーネスをつけてCさんの隣にちょこんと座っているにゃんにゃん。落ち着いた眼差しで、待合室にいる犬や猫、人を観察しているように見えます。「にゃんにゃんは名前を呼ぶとニャンって短く返事したり、ごはんのときにはハイタッチ。夕方になるとニャンニャンって私を呼びに来て散歩に行きたいと訴えます。買い物から帰ってくると玄関で待っていて、顔を見るなりミャーって長く鳴くんですよ」。最近はご主人が帰ると、近づいてニャッニャッニャッってふざけてみたり、そばにいるだけでゴロゴロ喉を鳴らして喜ばせてくれるそうです。

出会ったころからおしゃべりするコだったから、自然に名前は「にゃんにゃん」になったのですね。にゃんにゃんは夫婦ふたり暮らしの日常をにぎやかにしてくれる存在です。

Question

28

このコが家の中で
行方不明になったことはありますか?

猫は姿を隠すのがとても上手です。特技ともいえます。
このコはマイペースで自由に過ごしているだけなので
隠れているわけではないのですが、
あなたは、姿が見えなくて焦ったこともあるでしょう。
このコはどこにいましたか。見つけるまでどのくらいかかりましたか。
探しているときや、見つけたときの気持ちを思い出してみてください。

from doctor

猫は人に気づかれずに静かに動き、気配を消すことができます。そろそろ寝ようかなと部屋を見渡すと見当たらないことも、猫の“あるある”ですね。たいていは気に入っている隠れ場所にいるのですが、そこに姿がなかったり、予想している場所にいなくて、気づくと家探しなんてことも。私自身、思い出すと笑ってしまいますが「神隠し？」とパニックになったこともあります。

家の中にいるはずなのに、「もしかして外に行ってしまったのかも」「まさかもう会えなかったら……」などと想像して、不安や恐怖を感じることも。それは愛猫がおうちのなかにいるのが当たり前で、景色の中にいてくれることがどれほど自分にとって安心感なのかという証。思いがけない場所で気持ちよさそうに寝ている姿を見つけたとき、「よかった……！」と心から安堵すると同時に、人の気も知らずにのん気にしている自然体ぶりに笑ってしまう……。決してアピールしてこなくても、猫の存在感は果てしなく大きいのです。

Question

29

このコが上機嫌になるのは どんなときですか?

猫はとっても素直です。
得意なことや好きなことをしている姿を見ているだけで
あなたは笑顔になっているでしょう。
このコが目を輝かせるのはどんなときでしょう?
好きな食べ物、好きなオヤツもありますか?

from doctor

待合室でハナコの検査結果を待っていたDさん夫妻におうちでのようすをお聞きしたところ、奥様から「ハナコはお父さんのことが大好きで、お父さんが晩酌をするときにはうれしそうに寄ってくる」と聞きました。ご主人のおつまみを狙っているのかと思ったら、ご主人のあぐらの上で丸くなって気持ちよさそうにしているというのです。「きっと晩酌を楽しむお父さんの温まった体がハナコちゃんにちょうどいいのですね。特等席ですね」とお話しすると、ご主人が初めて笑顔を見せました。

「検査結果は心配ですが、ハナコちゃんは病気のことはわかりません。おうちに帰ったら今夜もいつものように晩酌をして、ハナコちゃんをあぐらの上で安心させてあげてくださいね」とアドバイスすると、「ハナちゃんは僕が釣ってきた魚の刺身が大好きなんだよね」とご主人。そこで「治療が始まるハナコちゃんのご機嫌をよくするために、これからもお魚を釣ってきてくださいね！」とお願いすると、ご主人の表情が明るくなり、奥様も「お父さん、頑張っておいしい魚を釣ってね」と。ふたりが、ハナコの世界中で最強の応援団なのです。

Case of Grief Care

好きも嫌いも、
このコの個性なのです

最初にこのコと出会ったとき、このコについて知らないことばかりだったと思います。それでも、あなたはこのコを迎える決断をしました。このコの容姿や表情、動作、そこにこのコがいる事情……いずれにしても、あなたがこのコに決めたのは、このコがもつ何かにあなたの心が引き寄せられたからだと私は思います。

人がそれぞれ違うように、猫も、ほかの猫と似ているところもあれば違うところもたくさんあります。好きなことも嫌いなこともたくさんあります。このコの個性をあなたがどのように受け止めるかで、あなたのグリーフは違っていきます。

猫の個性に悩んだり不安になったりしている方のグリーフケアカウンセリングをしていると、見えてくるものがあります。それは、飼い主が愛猫と出会うまでに思い描いていた理想の「猫像」や「猫との暮らし」、このコにこうなってほしいという願望から無意識のうちにできあがっていた「我がコ像」です。それらが混ざり合って、実際のこのコとは別の「このコ像」が存在してしまい、そのギャップがグリーフにつながってしまうのです。

カウンセリングで出会った「このコ像」についてのストーリーをご紹介します。

ちび太とにゃんにゃんという7歳のきょうだい猫と暮らすCさん。室内飼い100%の家猫なのに、ちび太はまるで外猫のよう。出会いから5年以上経っても､距離をとっているのです。Cさんは、抱っこは無理でも、せめて撫でたり触ったりできるようになるにはどうしたらいいのか、自分の飼い方が悪かったのだろうかと戸惑っていました。

ちび太は、食事やトイレ以外は、天井までつながるキャットタワーの最上階やロフト、本棚の上など、とにかく高い場所で過ごしていることが多く、Cさんが近づくと逃げてしまいます。にゃんにゃんとは仲よしなので、にゃんにゃんがフロアにいると一緒にごはんを食べたりするけれど、普段は人が寝静まる夜中に食事。夜、ロフトのベッドで2匹くっついて寝ている姿は本当にかわいくて、そっと撫でようとすると……途端にシャーッ！

周囲に相談すると心配され、「ちび太が病気になったらどうするの？　治療が受けられないのでは？」「飼い主なんだから、もう少ししつけないと」などと言われてしまうことも、次第にCさんの苦痛になっていきました。

予防注射や健康診断に連れていかなくてはと、家の中に捕獲用のケージを借りたり、大きなシーツで包もうとしたり、寝ているときに箱や袋をかぶせようとしたCさん。ちび太が5歳のとき、ひとりで格闘したCさんはついに捕獲に成功し、キャリーに入れて動物病院へ！　でも、ちび太はキャリーの中で緊張し、おびえて固まっていました。診察室でキャリーから出した瞬間、飛び出したちび太は四方にぶつかりながら逃げ回って失禁。完全にパニック状態で、予防注射はできないといわれてしまったそうです。

「やっと病院に連れてこられたのに……」とCさんのグリーフはますます大きくなり、ちび太をかわいいと思いながらもイライラする自分に対しても嫌悪感が募りました。

にゃんにゃんとちび太は推定2歳のとき保護シェルターからCさん宅に来ました。それまでに5匹の猫との出会いと別れを経験してきたCさんは、半年ほど猫のいない暮らしをしてご主人や友人と旅行などを楽しんでいたのですが、そろそろ新たな家族を迎えたいと思ったタイミングで出会ったそうです。

ニャンニャンと鳴く声がかわいく、甘えんぼうだと感じたコを連れて帰ろうと決めたとき、シェルターの担当者から「きょうだい猫も保護しているので、一緒に引き取ることはできませんか」と相談されました。
その猫は離れたキャットタワーの上にいてCさんを見ていましたが、そばには来ません。にゃんにゃんより小柄なコでしたが、静かにじっと見守る姿が妹猫を心配しているように感じたCさん。
「今、猫はほかにいないし、2匹いるのも楽しいかも！」

このような出会いで始まった、にゃんにゃん、ちび太との暮らし。人に馴れていったにゃんにゃんと違い、まだ人と距離があるちび太でしたが、にゃんにゃんと一緒だと落ち着いているので引き離すのもかわいそうだと思ったCさんは、時間が経てば自分に甘えてくれるだろうと信じていました。

ふたりは生まれてから1年以上、海岸近くの公園の猫社会で成長しました。ちび太のほうが体も小さいことから、母猫のおっぱい競争にも出遅れていた可能性もあります。それゆえに自己防衛本能をフル活用し、大勢の猫の中で苦労しながらもテリトリーで生きていたちび太。にゃんにゃんが出産や子育てをするようになって、にゃんにゃんとも少し距離ができたちび太は、危険を回避しつつ、怖がりながらもひとりで頑張って生きてきたのです。

ちび太は毎日、Cさんを高いところから眺めながら、仲間かどうかを見極めていたのです。それなのに、おうちの中に捕獲器が登場したり大きな布をかぶせられたりして安全が脅かされ、Cさんを信じたくても自己防衛が強くなってしまいました。ちび太もまた、グリーフでいっぱいだったのです。

家猫だから人に馴れなければならないとか、将来のためにしつけをしなくてはいけないとか、そのような人間側の正義感や理屈が先走ってしまうと、そんなことはまったくわからない猫との距離感が、ますます広がってしまいます。

ちび太が大切にしている自分の生き方は、ちび太が生まれもった性質や環境から作り上げてきた個性。Cさんの広い家が今、ちび太とにゃんにゃんの大切なテリトリーになっています。そこはCさんの家ですが、彼らのテリトリーに入れてもらうイメージをもつこと。ともに仲間として生きることを許してもらうには、ちび太が大切に守ってきた個性を受け入れ、素敵だとほめてあげる気持ちが大切です。

「ちび太、そのままでいいよ！　自由にしていいよ！　ここはちび太の安全基地だからね！　にゃんにゃんを見習いながら私もちび太に認められる仲間になるよ！　うちに来てくれてありがとう！」。こんな気持ちで、ちび太の個性を愛することなのです。

Cさんがあの日、ちび太を連れて帰ろうと思ったのは、ちび太の中にある個性が気になったからかもしれません。それはCさんの心が求めていたものかも……。不器用な生き方をするちび太を守りたいという母猫の気持ちだったように感じました。個性をまるごと愛すること。このような出会いも、必然の奇跡です。

Q グリーフには、種類があるのでしょうか?

A グリーフの段階によって、様々な気持ちや行動になります。

「グリーフの心理過程」には個々に差はありますが、次のような基本パターンがあります。「①衝撃期」は、ショックで頭が真っ白になって、考えることができず、心がこれ以上の傷にならないよう自己防衛している時期で、緊張や焦りも見られます。「②悲痛期」は、少し現実味が増してきて、不安や心配、恐怖、喪失した原因を探して後悔、自責や他責、罪悪感などでマイナス思考に引っ張られ、心が痛む時期。もしかしたら……と期待が上がることもあります。またこのとき、睡眠障害や食欲不振、疲労が見られる場合もあります。「③回復期」は、現実を受け入れ、喪失したことを認める時期です。これからどうしたらいいかをプラス思考で肯定的に考えることができるようになって勇気も出てきます。そして「④再生期」は、回復をもう一歩前進させる時期です。新しい未来を考えて歩き出すことができ、グリーフという喪失によってできた心の傷が、自分のペースで衝撃期から悲痛期へ、そして悲痛期と回復期を行き来しながら再生期へと向かっていきます。

Q グリーフが深くなると、猫はどんな状態になるのですか?

A 不安や悲しみ、寂しさなどが、不安定な行動につながっていきます。

このコが大切な対象を失くすのはどんなときかを想像してみるとわかりやすいかもしれません。例えば、猫の目から「大好きな人」がいなくなる景色。仕事や学校に行くといった事情は、生活習慣なのでこのコもゆっくりとそれになれて受け入れていくことができると思います。でも進学、就職、単身赴任、旅行、結婚、入院など、猫には事情がわからない長期の不在はグリーフになります。また、大好きな人の死によってその姿が見えない景色は、猫にとって本当に深いグリーフとなるのです。さらに、猫自身が入院するときには、安全な家、大好きな人との当たり前の日常もすべて喪失するために、グリーフが大きくなることも多いです。猫には理由がわからないためにグリーフは、不安、悲しみ、寂しさ、心細さ、孤独、恐怖、緊張、警戒、帰りたい気持ちなどが強く表れてきます。そのため熟睡できない、食欲不振、胃腸炎、動けなくなる、粗相する、自己防衛が強まり攻撃性や不安定な行動が見られるといったこともあります。

CHAPTER.

4

私が思うこのコの魅力

このコの魅力は、あなたが一番知っていますよね。
頭ではなく心で共感してあげてください。
そうすれば、このコのことがもっと好きになりますよ。

Question
30

このコのどんな仕草や行動が好きですか?

ツンデレタイプもいれば甘えんぼうもいますが、
どのコも人を癒す天才です。
歩く、走る、ジャンプする、体を舐める、眠る、食べる、飲む……
どんな行動でも、
なんとも愛らしい仕草や表情であなたをとりこにするでしょう。
このコが見せる、最高にかわいい仕草や表情を教えてください。

from doctor

自然に表れる仕草や行動のすべてをかわいいと思ってしまうのは私だけでしょうか（笑）。日本に住んでいたころは一軒家でしたので、帰宅すると玄関のドアノブに手をかけた瞬間に「バタバタ～」という音がして、ドアを開けると大慌てでフラットが階段を駆けおりてきます。ちょっとおデブだったフラットが転がるように降りていく姿も最高に愛おしかった！　また、ベッドでふわふわのブランケットを前足でふみふみする姿は、もうたまりません。ふたりでシンクロしてふみふみタイム……なんてことになったら、抱きしめたくなる気持ちを抑えるのに必死です。誕生して目も見えないときからお母さん猫をふみふみしておっぱいを飲んでいた愛猫たち。今も、目には見えないけれどお母さん猫の愛がこのコたちの心のマッサージをしてくれているのですね。

Question

31

このコの顔や体で
好きなところはどこですか?

このコの姿を眺めたり触ったりするだけで
あなたの心は癒されているでしょう。
このコの容姿で、あなたがずっと見ていたい、
一番好きなところはどこですか?
このコのチャーミングなところを自慢してみてください。

from doctor

「すべてがカッコいいけど、やっぱり顔かな」とサイベリアンの男のコ、プリンスのママ、Aさん。リビングルームのAさんの隣には、10kgを超える大柄なプリンスが美しい茶色の毛をふわふわさせて座っていました。「この大きくキリッとした目でじっと見つめられたら、胸がキュンとしますね！」。プリンスはゆったりと歩き、軽快にジャンプして大きなキャットタワーの上段に登っていきました。思わず「カッコいい〜」と叫んでしまったくらい、その姿は素敵でした。そんなに堂々としているプリンスも、車が苦手だし、動物病院では固まってしまう甘えんぼう。来客が猫好きかどうかも見極めるプリンス。プリンスのカッコいい個性を守るには、猫好きな往診専門の獣医師がいいですね。

Question

32

このコの
寝姿を教えてください。

体が柔らかい猫の寝る姿は、自由そのもの。
このコはどんなふうに寝ていますか。
思わず吹き出すような恰好で寝ていることもしょっちゅうでは?
安心しきって寝ている姿を見るだけで、癒やされたり、笑ったり。
そんな姿を撮っていることも多いでしょう。
ここに写真を貼って「寝姿コレクション」をしてみるのも楽しいですね!

from doctor

猫は一日中、気づけば寝ていますよね。安全な場所を選び、安眠するこのコの寝姿を見ているだけで、あなたものんびりした気持ちになるでしょう。このコは自分がどんな格好で見えているか、ルックスにはまったく関係なく生きているので、ありのままの心の状態が率直に寝姿に表れています。手や足の向き、顔の角度など、めちゃくちゃな恰好で眠る姿には、思わず吹き出しますね。普段が美人ちゃん・ハンサムくんならなおさら、変顔で寝ているとたまらずカメラを向けていることでしょう。寝姿は心のサイン。ずっと見ていたいと感じるようなかわいい寝姿は、痛みがない証。寝姿に違和感をもったときは、体の痛みや環境の変化によってこのコがグリーフを抱えているかもしれません。

Question

33

このコがしょんぼりしているのはどんなときですか。

このコがたそがれているように見えたり
ため息をついたように感じたことはありますか?
それはこのコのグリーフのサインかもしれません。
このコの目になって景色を見てみましょう。
どんなことが見えてくるでしょうか。気づいたことを書いてみましょう。

from doctor

このコの日常には、たくさんの宝物があります。それは大好きな人や動物の仲間、落ち着くにおいのベッドや肌触りが気持ちいいブランケット、好みの食事や食器、キャットタワーや秘密の隠れ場所、外への散歩など、このコにとっては当たり前にある幸せ。でも、いろいろな形でその宝物を失う出来事が、ある日突然やってくるのです。特に人や同居の動物との死別は、このコと相手とのつながりが深ければ深いほど、このコに大きなグリーフが生まれます。

おうちに来てから10年間、てんの景色にいつも存在したお姉ちゃん。結婚を機にお姉ちゃんと暮らしが別になったとき、てんは玄関やお姉ちゃんのベッドの上で帰りをひたすら待っていたそうです。「結婚」も「引っ越し」もわからないてんに生まれるグリーフ。この空虚な景色をしょんぼり、ため息をつく日々を過ごしながらゆっくり受け入れていくのです。お姉ちゃんのにおいを消さないよう、しばらくの間は部屋をそのままにして、ドアを開けて自由に出入りできるようにしてあげましょう。テレビ電話などオンラインで声を聞かせてあげるのもいいですね。

Question

34

思わず触りたくなるのは このコが何をしているときですか。

このコがあまりに気持ちよさそうに寝転がっていると、
つい、お腹を撫でたくなりますね。
でも、このコは迷惑そうな顔をするときも……。
人の「撫でたい!」と、猫の「撫でてほしい!」が
ぴったり合うときもあれば、ちょっとズレてしまうときも。
あなたとこのコは、どうでしょう?
このコが、何も言わずに甘えたい気持ちを発しているように
感じ取ることもあるかもしれませんね。

from doctor

このコが横になってくつろいでいたり、ちょこんと座ってこちらを見ていたりすると、思わず触りたくなりますね。そんなとき、このコからも「もっと、もっと！」と撫で撫でを要求してくると、仕事の手を止めて額や首筋、背中などを撫でながら、あなたもうれしくなると思います。フロアに仰向けになって寝ているこのコを見ると自然にお腹に手が伸びますが……このコのご機嫌がガラリと変わることも。急に咬まれたら「なんでー!?」とショックですが、このコの気持ちになって想像すると、無防備に寝ていたら急に触られて「誰だ！」となったわけです。のんびり寝ているように見えても即座に警戒心高く自己防衛できるとは、猫は危機管理意識が高いですね。

Question

35

なんだか歳をとってきたなと感じることはありますか。

いつまでもかわいいこのコも、気づくといい年齢に。
そんな現実に驚くこともあるかもしれません。
若いころと比べて、このコの体に何か変化は表れてきましたか?
容姿の変化はあまりないかもしれませんが、
食べ方、好み、睡眠、外遊びのようすなどはどうでしょうか。
すでにシニアのコと暮らしているのであれば、
何歳くらいから変化を感じたかも思い出してみてください。
このコの日常を見ながら書いてみましょう。

from doctor

猫の年齢はあまり容姿に表れにくいから、うらやましいですね。いつまでもかわいい顔は子どものようですが、シニアになるとちょっと食べ方が変わって、カリカリが口からこぼれてしまうかもしれません。食ムラが出たり食べにくそうな場合は口の中に痛みがあることも多いので、あまり動かなくなったり、いつものように無防備な寝姿ではなくなったとき、「歳をとったなぁ……」と感じるでしょう。でも、痛みさえ緩和してあげればこのコも自信を取り戻し、猫じゃらしでも興奮し、ジャンプしてキャットタワーの定位置まで登ったり、カリカリとおいしそうな音を立てながら食べはじめたりして、猫のプライドを示してくれます。「歳をとってかわいそうに……」という気持ちで見られるのは、猫は嫌いでしょう。このコの体の痛みと心の緊張を和らげてあげると、最期のときまでこのコとしてのプライドを保ちます。その姿はきっと、あなたの目に若々しく映ると思います。

Question

36

このコの能力について
感心することはありますか。

猫はとっても器用。
狭い道もスイスイ、バランスよく歩けます。
このコの日常を見ていると、そんなふうに
「このコってすごい!」と感じることもたくさんあるでしょう。
自分にはない才能を感じたり、尊敬したり
感心したりしたのは、どんなことですか?

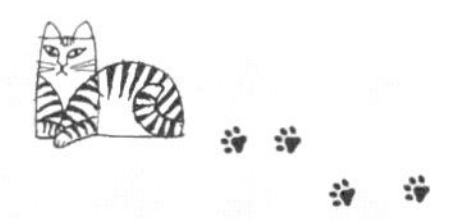

from doctor

Bさんは生まれたときから猫がいる環境で育ち、結婚して実家を離れてからもずっと猫がいる暮らしをしてきた女性。部屋のテーブルや飾り棚、カウンターにはたくさんの写真フレームや猫グッズが並べられています。最初は「倒すのでは」とハラハラして見ていたそうですが、3歳になったあずきがフレームを倒すことなく見事にその間を歩く姿に感心したそうです。大小いろいろな猫の人形が並ぶかわいい棚も、表情ひとつ変えずに通り抜けるあずき。ソファの背もたれやベッドの縁もスイスイ歩き、床に見事な着地を決める姿はサーカスのようだと（笑）。Bさんは、自分にはない抜群のバランス能力を尊敬しているそうです。猫のサーカス団があったら最強のパフォーマーになりますね！

Question

37

このコのプライドを感じるのは どんなことですか。

自分の意思をもち、自由な生き方を好む猫。
プライドは猫らしさのひとつで、とても素敵ですよね。
このコの、「猫としてのプライド」を感じるのはどんなときでしょうか?
プライドを感じる出来事を教えてください。

from doctor

黒猫のチップは朝ごはんのあと、Cさんが庭に出て洗濯を干す間に家のまわりを一周するのが日課。15歳になってちょっと食欲が落ちてきたチップは診察で腎臓の機能が落ちていると説明を受け、一日おきに皮下点滴に通うことになったのです。でも、自分で決めたカリカリしか食べないチップ。通院時にスタッフが腎臓食のウェットタイプをあげてもまったく見向きもせず、食べさせようとしても絶対に口を開かないチップの顔は、「自分の食べるものは自分で決める」と言っているようす。心配そうに見ていたCさんに「チップくんは男らしいですね！　猫のプライドを感じます」と声をかけると、「プライドだったんですね。だからですね、家に帰ると、疲れているでしょうに、いつものように家のまわりを一周するんです」とCさん。自分の体が動く限り、テリトリーを守るためにパトロールを続けるチップくん。どんなに痩せてきても、そのカッコいい姿をほめていきましょう！

Question

38

あなたのことを
どんな存在だと見ていると思いますか?

このコとあなたの関係を考えてみてください。
あなたは、ママorパパ? お手伝いさん? 親友? きょうだい?
あるいは家来(?)だったりするかもしれませんね。
そのときそのときで立場が変わることもあるでしょう。
あなたが感じる、このコとの関係を書いてみましょう。

from doctor

このコとあなたは、空気のように気を遣わない関係かもしれません。お互いが同じ空間にいるのがあまりにも自然で、それがまた心地いいのではないでしょうか。ソファに座るあなたの隣にこのコがゴロンとしたり膝に乗ってきたり、額をあなたに押しつけてきたり、「ニャー」とかわいい声を出して見つめてきたり、ブラッシングをせがまれたりするときは「ママかな」って感じますね。ベッドの真ん中であなたより先に寝ているとボーイフレンドやガールフレンドのようですし、猫じゃらしで一緒に思いきり遊ぶときは、きょうだいや親友かな？　ごはんを準備したりトイレを掃除したり、クッションやベッドをふかふかにするときは、身のまわりのことをするお手伝いさんですね。

このコとの暮らしで、あなたはきっと一人何役も体験しているでしょう。いずれの存在だったとしても、このコはあなたを仲間だと認めています。

Question

39

このコがあなたに直してほしいことは何でしょう？

このコにはあなたに対して
不満に思っていることはあるでしょうか？
もし人間の言葉を話せたら、その不満を
あなたにどんなふうに言うと思いますか。
このコになって想像し、書いてみてください。

from doctor

冬になって膀胱炎を繰り返しているタマ。『サザエさん』に登場する猫に由来して名前をもらったタマは、のんきな性格でマイペース。寒い季節はこたつが大好きなところも、磯野家のタマに似ていますね。Dさんはこたつでのんびりしているタマに、何度も布団をめくっては「トイレ行かないの？」と声をかけ、トイレに向かえば同行、トイレをするタマを心配した顔で見ていました。タマにしてみれば、「気持ちよく寝てるのに、布団めくらないで！」「なんでトイレについてくるの？」「そんな顔で見つめられたら、こっちまで緊張するよ」「怖いから、笑ってくれると助かる」「一緒にのんびりしてほしい」……。もし言葉が話せたらタマは、「心配してくれるより、いつもの愉快な仲間でいてほしい」と伝えてくるでしょう。病気になったときこそ、猫は安全なテリトリーの「ホーム」を守ってほしいと願っています。

CHAPTER.4 Column

Case of Grief Care

このコの魅力は あなたへのプレゼントなのです

「私がやりたいことってなんだろう」と将来が見えなくなったり、「私は必要とされていないのかも」と自信がなくなったり。あるいは「ありのままの私をわかってくれる人はいない」と不安をもったり、「なぜ私はうまくいかないの？」と考えてしまったり。自信を失くしたり自分を否定したり、孤独感が強くなったりすることは、誰にでも起こりうる自然なグリーフです。

ただ、このようなグリーフをひとりで抱えてしまうと、「これも無理かもしれない」「きっとだめだろう」などと喪失をイメージしてしまい、心の栄養をどんどん消耗してしまいます。このように、これから起こりうるグリーフを想像してしまうことで生じる悲嘆を「予期グリーフ」といいます。

そんなとき、言葉ではなくありのままの姿で人のグリーフケアができるのが猫です。人生には、避けがたいさまざまな予期グリーフがありますが、そんなときに猫と出会ってほしいと私は願っています。なぜなら、そのとき出会った猫はあなたの心が求める相手であり、ありのままのあなたを愛する存在になってくれるからです。無理をしてあなたを受け入れようと頑張るのではなく、あなたがこのコを愛すれば仲間として自然に受け入れてくれる。それは、人にはなかなかできない、猫の素晴らしい才能です。

そんな「猫の魅力」を感じるストーリーをご紹介します。

東日本大震災後に会ったトラは19歳で、Dさんとふたりで仮設住宅に暮らしていました。トラの腎不全がわかり、皮下点滴に通う日々を送っていましたが、食欲にムラがあるトラを見ながら、Dさんの不安や心配は大きくなっていきました。

Dさんに初めて会ったのは動物病院の待合室。キャリーを抱えてうつむき加減に座り、とても疲れた表情をしていました。私がキャリーの中を覗くと、シャキッとした猫と目が合いました。「カッコいい雰囲気ですね！　男のコかな？　お名前は？」と声をかけると、沈んでいた表情がパッと明るく変わり、「トラっていうんです」と、ちょっと恥ずかしそうに教えてくれました。

話を聞かせていただくうちに、震災で家族が亡くなったこと、仮設住宅で暮らしていることがわかりました。トラとは、お母様が亡くなって大きなグリーフを抱えていたとき、ふらふら歩いていた道端で出会ったそうです。「子猫のトラくんを見た瞬間、宝くじに当たったみたいな気持ちでした」というDさんの言葉が、今もとても印象深く残っています。「一目ぼれ」——まさにこの言葉が当てはまる、必然の奇跡。トラの魅力が一瞬でDさんの心をがっちりつかんだのです。トラは、Dさんが出会った王子様だったのですね。

もともと心配性で自分に自信がもてなかったというDさんが、お母様の死後ますます不安を抱えていたそのタイミングで、小さな王子と巡り会えた幸運。そしてトラもまた、母猫と別れてひとりぼっちだったときにDさんと出会えたのです。

実は、トラは一時は行方不明になってしまい、Dさんは眠れない夜を過ごしていたそうです。数カ月後にようやく自宅のようすを見に行ける状況となり、Dさんは祈る気持ちで自宅へ。でも、トラの姿はありませんでした。何度も呼んでもいない……。そんな絶望の景色の中で、Dさんは気づきました。

「トイレを使ってる！　トラくんは生きている！
毎日通って、トラくんのトイレをきれいにしよう」

「私がいるよ！」と、トラにメッセージを送ることにしたのです。それから2週間後、ついにトラがトイレのそばに座ってDさんを待っていました。トラも震災でひとりぼっちになり、どんなに怖かったことでしょう。トラとDさんの再会は2度目の必然の奇跡。Dさんはその瞬間を思い出しながら「二度目の宝くじが当たったような光を感じました」と涙をこらえて話してくれました。「トラくんは命の恩人です。トラくんがいなかったら、光を失い、ひとりぼっちで生きていく勇気はなかったです」。

私は「トラくんも同じです。Dさんがいたから、こんなにカッコよく堂々と今日まで生きてこられたんです。Dさんもトラくんの命の恩人ですよ」と言いました。するとトラは尻尾をパタンパタンと振って返事をしてくれました。

おうちでの暮らしを聞いてみると、私がアドバイスをする前から、部屋の中で段ボール箱をつないでトンネルを作ったり、喜んで食べるフードを準備したり、トイレの高さをトラに合わせて調整したり、冬は寒い東北ですからニットの服を編んで着せたり……と、トラはいつも主役。おうちの中で自由でした。

私は「王子としてのプライドが守られていますね！　これからもトラくんのカッコいいプライドを最期まで守っていきましょう。今までと同じように、どんなときもトラくんをいっぱいほめていきましょうね」とアドバイスしました。Dさんも大きく頷き、「トラくんが生きていてくれるから、トラくんがうれしいことをいっぱいやってあげます」と言いました。

トラは腎不全が進行し、皮下点滴して帰宅しても食欲が出ないこともありました。そんなとき、Dさんは大きな不安を抱えながらも、ゆでたささみや消化のいいウェットタイプの療法食をすり鉢で滑らかにして食べさせていました。子猫のころに絵本を読んだり歌を歌ったりしながらトラを育てたDさんは、残された時間も歌声を聞かせました。トラもじっとDさんを見つめながら歌声や笑顔を心に焼きつけている姿が思い浮かび、病気になってもトラが王子として誇り高く生き抜けると、私は確信しました。

数週間後、トラが亡くなったと連絡がありました。Dさんには深いグリーフとともに大きな幸せ感がありました。「トラくんは私と違ってすごく努力家で頑張り屋さんなんですよ。こんな体になってもトイレに行こうとしていたんです。亡くなる前、具合が悪いはずなのにガツガツとおいしそうに食べていました。最期までトラくんはとってもカッコよかった。トラくんにいっぱいありがとうを言えたし、笑顔を見せられました」

心配性で自信がなかったDさんには、自分とは違うトラの生き方が魅力でした。だからこそ、堂々とまっすぐに生きるトラの姿は、Dさんの心のエネルギー源となったのです。

出会ってから19年、学生のときも社会人になってからも、Dさんにはいつも、帰りを待っているトラがいました。私は、あのとき一目ぼれした子猫のトラは、グリーフを抱えてひとりで耐えながら誠実に生きる最愛の娘への、亡くなったお母様からのプレゼントだったのだと感じています。

Q 自分自身をグリーフケアすることはできるのでしょうか?

A ありのままの自分を受け入れて、自分に負荷をかけないようにすることが大切です。

P080で紹介した、人の場合の「グリーフの心理過程」を見ながら、自分自身が喪失体験で抱える気持ちは「失った、または失うかもしれない対象がとても大切だからこそ起きているから、不思議ではない」と受け止めることが、自分自身へのグリーフケアになります。無理に頑張ろうと自分に負荷をかけないようにして、ひとりで抱えず、自分の気持ちをわかってくれる誰かに相談することも大切です。そのためには、あなたのありのままのグリーフを話せる相手を見つけておくことや、あなたを否定する人とは距離をとることも必要。愛猫との暮らしでは、このコがどんなときもあなたを求め、必要としてくれることや、このコが欲することをしたり、このコと身体をくっつけたりといったふれあいもグリーフケアになります。自分の好きな音楽やリラックスできる香りも助けになるかもしれません。そして、ありのままのグリーフをこの本に書き出し、ありのままに涙を流すことでも、グリーフの抱え込みを防ぐことができると思います。

Q どんなことが、このコのグリーフケアになるのでしょうか?

A 猫のグリーフケアは、人よりももっとシンプルなものです。

「このコが喪失してしまった大切な対象は何か?」を、このコの目から見つけることからはじめてください。例えば、このコが大好きな人が家から自立した場合、その人のにおいをこのコのために残すこともグリーフケアのひとつです。ベッドのシーツや脱いだ服などのにおいを残せるようにしたり、このコがその人の部屋に出入りすることを許したりするといいと思います。また、食事を変えたり食事に薬を混ぜることも、このコが喜ばないようであればグリーフになります。あなたがこのコに対して強制的な姿勢をとっているときには、あなたの緊張を高めた表情そのものが愛猫のグリーフ。肩の力を抜いて穏やかな気持ちで愛猫をリラックスさせながら、オブラートやピルポケットなど薬のにおいが食事に移らないようなアイデアを探してみてください。もし愛猫にグリーフを与えてしまったときは、気持ちいいことをいっぱいしてご機嫌をとりましょう。お気に入りのオモチャで遊びに誘うのもいいですね。箱やカバン、かごなど隠れる場所を用意してあげましょう。

CHAPTER.

5

これからも大切にしたい特別な日常

このコにとっては、あなたとの暮らしこそが、
当たり前にあるべき特別な日常。
それをどうやって守っていくか、考えてみませんか?

Question

40

このコの名前を
一日に何回呼んでいますか?

日々の暮らしの中で、
こちらに来てほしくて名前を呼ぶこともあれば、
意味もなく呼んでいたり、無意識に呼ぶこともあるでしょう。
実際、一日に何回くらいこのコの名前を呼んでいるのか数えてみましょう。
もしかすると、気分によって
あだ名で呼んでいる方もいるかもしれませんね。
どんなときにどんな名前で呼んでいるかも、教えてください。

from doctor

3月生まれの美春は、ママからはミーちゃん、お姉ちゃんからはハルたん、パパからはハルと呼ばれてきました。「そういえば誰も美春と呼んでいないですね」と苦笑いのAさん。家族のアイドル的存在の美春。どこにいても、そばを通る家族がそれぞれの呼称で声をかけていく生活。しかし美春が15歳のときに乳腺腫瘍が見つかり、手術をすることになりました。かわいいアイドル美春の気持ちを考える家族は、手術や入院のストレスに耐えられるのかどうか、毎晩、家族会議。手術に対する不安と心配で、病気の話はしてもこのコの名前を呼んでいませんでした。乳腺腫瘍が見つかるまではミーちゃん、ハルたん、ハルという優しい声の響きに包まれていた美春。カウンセリングでは「手術のことも手術日もまったく知らないこのコは、乳腺腫瘍になっても家族のアイドルです。病気ちゃんではなくて、いつものミーちゃんだし、ハルたんだし、ハルなんです。でも最近は家族の声の響きが変わり、グリーフを抱えています。今までと同じようにアイドルとしての日常を取り戻すために、呼称を聞かせてあげましょう」と提案しました。家族の呼称は、このコが最初にもらった愛情あふれるプレゼントなのです。

Question

41

このコが外社会にデビューしたらどこでどんなことをしていると思いますか？

猫は本来、好奇心の高い動物です。
このコが室内だけで暮らしているとしても、
もし、外社会で生活する時間ができたら、
いったいどんなところに行ってどんなことをすると思いますか？
このコの"猫道"を想像しながら、MAPも描いてみましょう。

from doctor

私も動物医療グリーフケアをはじめるまでは、猫の室内飼いを薦めてきたひとりでした。交通事故や病気を予防することが猫の幸せだという考え方でしたが、これは人間目線の正義かもしれないと気づきました。猫は様々に異なる個性をもち、幸せを感じる環境も違います。それだけに、猫によっては外社会に楽しみがあり、それを奪うことによってグリーフが生まれ、生きる質を下げてしまう結果になるのではないかと。

今の日本では「このコのテリトリーはおうちの中だけ」というコが多いでしょう。でも、もしこのコが外に出て生活していたら、どのあたりがテリトリーでしょうか。パトロールする姿や屋根の上でひなたぼっこする姿、蝶や鳥を追いかける姿、木に登る姿など、好奇心に満ちたこのコを想像してみましょう。そうすれば、おうちの中でもマンネリを解消し、このコが生き生きできるアイデアが浮かんでくるでしょう。

Question

42

このコと一緒に
旅したい土地はどこですか?

猫と旅をする人は少ないかもしれませんが、
「もし一緒に旅をしたら」と想像すると、ワクワクしますね。
このコと一緒に行ってみたい国、暮らしたい国はどこでしょうか?
その場所でどんなことをしたいですか?
また、このコが似合う国はどこでしょう?

from doctor

『魔女の宅急便』『となりのトトロ』など、猫が登場して一緒に大冒険する映画がありますね。もしあなたがこのコと旅ができるとしたらどんなに幸せでしょう。新しい景色を一緒に眺めてびっくりしたり楽しい気持ちを一緒に感じたり、珍道中になるかもしれないけれど、それはなんとも特別な時間になるに違いありません。想像するだけで夢が膨らむ方も多いのではないでしょうか。このコの好奇心が高まる場所は、どこでしょう？

世界には、猫の自由が尊重され、マイホームとマイコミュニティをもってのびのびと暮らせる国もあります。「専用ジェットで飛んでみようか？」「貸し切り列車に乗っていく？」なんてこのコに話しかけながら一緒に行く旅のプランを立てていると、あなたのワクワクする気持ちが伝わり、このコの目も輝くでしょう。

Question

43

このコと一緒なら
できそうなチャレンジはありますか？

ひとりでは勇気が出なくてできないこともありますが、
「このコと一緒なら!」と想像してみてください。
このコと一緒に力を合わせたら挑戦できることもあるかもしれません。
それはどんなことでしょう。
このコを見ながら、思い浮かんだことを書いてみましょう。

from doctor

Bさんは父親の急逝で家業を手伝うことになり、以来必死に母親を支えてきたため、自分の夢など忘れてしまっていたそうです。そんなBさんのそばでグリーフケアをしてくれたのはタロウ。父親が急逝してすぐ、庭にやってきた子猫でした。「とても不思議でした」と話してくれたBさん。まるでお父さんが連れてきたようなこのコが、ふたりのエネルギー源だったのですね。

「子どものころの夢は獣医になることでした」とBさんは恥ずかしそうに教えてくれました。「もう獣医にはなれないけれど、何か動物のためにできることがあったら将来やっていきたい」と話していました。何度か資格講座の受講も考えたそうですが、「もう歳だから無理」とあきらめていたそうです。でも、15歳になったタロウから勇気をもらっています。高齢になってもポジティブなタロウの生き方を見ながら、ペットの介護ケアの勉強をはじめています。

Question

44

このコにとっての特別な日を思い出してみましょう。

出会った日、迎えた日、このコの誕生日、
もしかしたら同居猫の誕生日。
もちろん、休日の小旅行でコテージに泊まったことなども。
このコと暮らしはじめてから、
あなたとこのコには、どんな特別な日が訪れましたか?
ひとつずつ思い出しながら、書いてみましょう。
写真があれば貼ってもいいですね。

from doctor

マイケルは、庭にいるさくらの子ども。3匹生まれた中で唯一生き残ったコでした。ふたりを家に保護したCさんでしたが、さくらは避妊手術後に庭に出ていってしまい、警戒心が強くて家には入りません。マイケルも一度脱走したため、Cさんはマイケルが外に出ないよう工夫して暮らしてきました。玄関ドアの前でチャンスを狙っていたり、網戸をカリカリするマイケル。しばらく頑張ってはあきらめる姿がかわいそうで、外に出さないのがいいことなのかわからなくなったCさん。窓越しにさくらを見ているマイケルを見て、3歳の誕生日に覚悟を決めて玄関ドアを開けることにしました。

マイケルは本当にうれしそうな顔でCさんを見つめたあと、外でまず大きく伸びをして、ひなたぼっこしているさくらにゆっくり近づいていきました。さくらのそばでゴロリと横になったとき、優しい日差しの下でふたりはシンクロしているように見えたそうです。この日はCさんが玄関を初めて開けた記念日。マイケルが欲しかった誕生日プレゼントを贈った日になりました。その日からさくらは家の中にも入ってくるようになりました。Cさんのおうちを、ふたりの安全基地だと感じた証です。

Question

45

このコの誕生日の
お祝いをしていますか?

このコの生まれた日はわからないかもしれませんね。
でも、あなたがプレゼントした誕生日があるはず。
それはいつですか。
それはこのコとあなたが出会えた奇跡の日。
どんなふうにお祝いしていますか?

from doctor

保護猫の場合、出会うタイミングは、まだ目も開かない生まれて間もないころだったり離乳した2カ月齢くらいだったり、または成猫のこともあります。だから、このコがいつこの世に誕生したのかは、誰も知りません。もちろん、このコも知りません。わかっているのは、「初めてこのコと出会った日」。この日は出会いの記念日になりますね。

子猫の場合はこの出会いの記念日から逆算してあなたが覚えやすい日にしたり、好きな数字を選んで決めたりするかもしれませんね。このコの誕生日は、あなたからのプレゼントです。

このコと一緒に記念写真を撮るのはなかなか難しかったり、ちょっと豪華な手作りの食事を準備しても、興味を示さないどころかお気に入りのオヤツのほうに大喜びして興奮する姿に苦笑い、なんてこともあるかもしれませんね。そんなふうに、計画どおりにいかないのが“猫様”の誕生日。だからこそ、心に残る特別な日になるのです。

Question

46

これからこのコと迎える誕生日や記念日にしたいことは何ですか?

今までとはちょっと違う特別なお祝いを想像してみると、
その日の過ごし方も、これまでとは少し違うアイデアが浮かぶかもしれません。
このコとあなたの出会えた幸運を一緒にお祝いする日。
次の記念日は、どんな一日になるでしょうか?

from doctor

猫との暮らしはあまりに自然に過ぎていくため、記念日をうっかり忘れてしまうこともあるかもしれません。気づくと「もう過ぎてた！」なんてことも。「このコの次の誕生日こそは、ちょっとアレンジしよう」と計画を練ってみるのも楽しいですね。特別なプランを考えるあなたがこのコを見る目は、愛情であふれているでしょう。「このコはどんなことをしたいのかな？　何が欲しいのかな？　このコが得意なことはどんなこと？」。このコが喜ぶ顔を想像していると、お祝いのいろいろなアイデアが浮かんできますね。このコと出会ってからの日々を思い出していると、「出会えて本当によかった！」と改めて感じるでしょう。このコのことを一番よく知っているあなただからこそ、このコが喜ぶ最高の一日にできるのです。もしかしたら、このコにとっては特別なことをしないいつもの日常こそがプレゼントになる、なんてこともあるかもしれませんね。

Question

47

このコからあなたが
プレゼントをもらったと
感じたことはありますか?

これまで、あなたからこのコに
贈ってきたプレゼントはたくさんあると思います。
反対に、あなたのほうが
「これはきっと、このコからのプレゼントに違いない」
と感じたこともあるのではないでしょうか。
それはどんなとき、どんなことだったでしょうか。

from doctor

Dさんは結婚後に暮らしはじめたマンションには知り合いがほとんどいませんでした。子どももいないため、幼稚園の送り迎えの時間は逆に外に出るのを避けたりして、気づくと周囲とほとんどつながりのない生活になっていたのです。特にそれが嫌だったわけではなかったそうですが、地震や台風などの緊急事態に相談できる人もいないのが不安になっていきました。

そんなとき、マンションの掲示板に「里親募集」のチラシが。もともと猫が好きなDさんでしたので、「4カ月齢」と書かれたキジ猫の写真に一目ぼれ。そのままその方のおうちに直行していたそうです。このコの写真を見たことがきっかけでこの方と知り合い、マンションには大勢の猫好きが住んでいることを知りました。それからはキジ猫の小太郎つながりで次々と知り合いが増え、マンションでの情報交換や隣人との交流が当たり前の日々に。そして気づくと地域で開催される譲渡会の手伝いや茶話会に参加し、充実した毎日になっていたのです。人とのつながりも活躍できる場も、小太郎からの貴重なプレゼントですね。

Question

48

このコにあげたい
プレゼントはありますか?

今まであげたプレゼントの中で、このコが気に入ったものは何でしたか。
そしてこれから先、このコに贈りたいプレゼントは何でしょう。
品物かもしれませんし、目に見えないものかもしれませんね。
このコが欲しいと願うプレゼントを想像しながら、
このコが喜ぶアイデアを書いてみましょう。

from doctor

猫のオモチャといえば……羽がヒラヒラとついた猫じゃらしが、鉄板の人気です。くるくる回したり横に動かしたりするだけで、猫はびっくりするほど機敏になりますね。忙しいあなたは、家事をするときに猫じゃらしをボトムスのポケットやベルトにうまく身につけて歩くだけで、このコは大喜びするでしょう。あまりに気に入ると壊れるのも早いため、猫じゃらしがプレゼントの定番になるかも。

そしてこのコへのプレゼントは、猫じゃらしだけではないのです。猫じゃらしを身につけて笑いながら歩くあなたとの時間こそが、最高のプレゼントになっているでしょう。

Question

49

このコに出会ってから
あなたに何か変化はありましたか?

生活習慣や日々の過ごし方はもちろん、
このコと暮らすことによって変わったことが、
あなた自身にもあるのではないでしょうか?
このコがいる安心感で行動が変わったり、
このコの目線で考える機会がないと、
なかなか気づくことができない自分自身の変化。
このコとの暮らしを思い出しながら、見つめてみましょう。

from doctor

私自身、待合室診療やカウンセリングを通して数えきれないほどの猫と出会い、個性豊かな彼らから大切なグリーフケアを教えてもらいました。それまでの私は、獣医師としての自分の正義にとらわれ、人間目線で判断することも多かったのです。「このコ」に出会い、「このコ」の生き方を尊重することで生まれる幸せ。それがこのコへのオンリーワンの医療になっていきました。猫に出会えて増えていったグリーフケアの引き出しは私の宝物です。あなたもきっと、このコと出会ってあなたの「引き出し」が増えているのではないでしょうか。このコのおかげで「言葉」を越えた心のメッセージで交流できる人になっているでしょう。

Question

50

ハッピーエンドを迎えるまでに
このコがしたいことは何でしょうか。

それは初めてのチャレンジかもしれませんし、
もう一度してほしいことかもしれませんね。
49個の質問に対する答えをもう一度見返しながら、
これからこのコがしたいこと、あなたにしてほしいこと、
一緒にしたいことを想像しながら
「ウィッシュリスト」を作ってみましょう。

from doctor

このコと出会い、このコはあなたと暮らす安全基地を得ました。この安全基地はこのコの大切なテリトリーであり、また、あなたにとっても大切なテリトリーになっているでしょう。心や体が弱ったときはここでエネルギーを充電し、ハッピーライフを続けてきたのです。

これからも、どんなときも一番大切なこのテリトリーを守ることで、このコとあなたの絆を守ることができます。このコのテリトリーを壊さないようにしていくために必要なのは、どんなことでしょうか。このコにとって、あなたとの当たり前の日常は一番安全であり、このコが自信をもって生きるヒントがたくさん見つかるでしょう。このコがエンディングまでに望んでいることを考えてみてください。この「ウィッシュリスト」があれば、どんなときもこのコを笑顔にするアイデアが見つかるはず。このコがこのコとしてまっすぐに自分の生き方をまっとうできるように応援できることこそが、あなたの幸せにつながっています。

CHAPTER.5 Column

Case of Grief Care

あなたにしか贈ることができない
幸せな最終章とは

50 個の質問に対して綴った日記には、このコとあなたのヒストリーが詰まっています。その歴史に終わりはなく、永遠に書き続けていくことができます。50 個目の「ウィッシュリスト」には、このコとの日常を特別なものにするアイデアがたくさん書かれていることでしょう。いつでもどこでもどんなときも、このコが生きているときも寿命をまっとうしてからも、この一冊があれば、愛するこのコの目となり共感しながら、ハッピーライフを続けていけるでしょう。このコとあなたの出会いは単なる偶然ではなく「必然」だったこと、この「必然」がそのタイミングで起きることは「奇跡」に近い「幸運」だったということの証として、この本をこのコとあなたのお守りにしていただければと思います。

最後にもうひとつ、あなたにしてほしいことがあります。それは「このコにとっての安全基地となるあなたの家を、このコの最終章まで守り続ける」ことです。

あなたの家にこのコがいてくれるようになり、笑顔に包まれたことでしょう。あなたはこのコが目の前にいるだけでリラックスでき、このコもあなたという信頼できる味方がいてくれたからこそ、心が平穏でいられました。あなたの家は、あなたとこのコがともに心を温め合い、ホッとすることができる唯一無二の安全基地。ここがあるからこそ、どんなときも元気になれたのです。
あなたの家は、このコからあなたへ、そしてあなたからこのコへのギフトそのもの。だからこそ、このコの最期は、この愛すべきテリトリーで過ごしてほしいのです。

愛猫の最終章に伴走した一家の「ハッピーエンディング」のストーリーをご紹介します。

そらはチンチラシルバーの男のコ。私がEさんから最初に連絡をいただいたとき、10歳のそらは扁平上皮がんと診断されて手術が決まっていました。Eさんは、そらを失うことへの恐怖を感じる「予期グリーフ」を抱えていました。

そらとずっと一緒に過ごしてきたお姉ちゃん猫が、前年に亡くなっていました。お姉ちゃん猫を頼りに生きてきた、怖がりで甘えんぼうのそらから見える景色はガラリと変わり、おうちの空気が違っていることや自分に注目が集まったりすることで、そらもグリーフを抱えていたのです。

Eさんにとって愛猫の異変に気づいてから扁平上皮がんとわかるまでの日々は苦悩の連続で、心が疲れ、徐々に笑顔が消えていました。でも、そらは病気を理解できないため、Eさんが自分を見る目や顔の表情、声が違うことに違和感をもっていたのです。

怖がりのそらは病院が苦手。手術を受ける自信と勇気を甘えんぼうの少年猫に与えるため、おうちでは「そら」と「病気」は切り離し、そらの心がリラックスする空気作りを提案しました。そしていつもの声を聞かせ、笑顔でそらを手術に送り出しました。

手術で下顎を大きく失ったそら。入院中は、家族のにおいがするタオルなど、そらが安心できるアイテムを届け、恐怖で壊れそうなそらの心を支えたのです。

退院後、Eさんは気づかないうちに自分の感情で接してしまいます。早く元気になってほしいと願うのはそらへの愛情。でも、そらに伝わるのは、不安や緊張感。そらは自信を失くし、大好きだったキャットタワーにも上がらなくなってしまいました。

CHAPTER.5 Column

Case of Grief Care

ある日、そらがお腹の毛をむしって食べていました。これは猫のストレス行動のひとつではありますが、私はEさんの話を聞いて気づきました。安全基地は守られている……とすると、お腹がすいているのではないかと。下顎切除後の傷はよくなっていたのですが、口の構造が変わったことでフードの大きさや形によっては食べにくいため、細い毛のようなものが食べやすかったのです。ささみをゆでて細長く毛のようにしたものを提案したところ、そらはすごい勢いで食べ、Eさんを驚かせました。そして、そらもEさんのいつもの笑顔をたくさん見ることができたのです。

それからは、そらの好みの味や食べやすさを一番に考え、無理に食べさせるのではなく、そらが食べたいときに食べる、楽しいごはんタイムに。するとそらは夕食の時間になると、以前はちょっと苦手だったパパの足元に行くようになりました。「食べたいならあげてみよう」と食卓の大トロを"解禁"したところ、そらは食べようと何度もチャレンジし、家族を大興奮させました。パパは仕事帰りに大トロを買ってくるようになり、そんなパパの変化にもEさんと子どもたちは驚いたそうです。がんとともにまっすぐ生きるそらは、家族の心をひとつに結びつけたのですね。

「食べてくれない」「痩せた」「再発したかもしれない」など、グリーフは尽きません。でも、そのときに必要なのは、人の目ではなく、そらの目から景色を眺めることだったのです。

そらの扁平上皮がんは再び口内に広がり、大きくなった腫瘍で口が閉じなくなりました。人はかわいそうにと同情しがちですが、猫自身は痛みがあるかどうかが重要であって、自分の顔を鏡で見て落ち込んだりもしないのです。そらには、不安を和らげるサプリメントと口内の粘膜から吸収するタイプの痛み止めを使い、最期の日まで痛みをコントロールすることができました。よだれで首元の毛が汚れるためエプロンをつけてもらったのですが、かわいくて、よく似合っていました。Eさんもそらを毎日いっぱいほめながら過ごしました。

病院嫌いのそらの気持ちを尊重し「病院には行かない」と決意したEさん。おうちという安全基地を守るため、往診獣医師を選択し、車の中でできる治療をすることができたのです。昼間はEさん、夜は娘さんが担当し、交代で睡眠。娘さんはそらと遊ぶのが上手で、そらもモチベーションアップ。そらは病気で口が変化してもお気に入りのねずみをくわえ、家族は思わず拍手！　自分で毛づくろいをし、ひなたぼっこをしたり、窓から外を眺め、鳥を見てニャッニャッと興奮する、猫として当たり前の日常。大好きなテレビ番組を寝転んで見たり、Eさんの腕枕で気持ちよく昼寝したり……。

そして迎えた最期の日。そらは家族がいる見慣れた景色の中で息を引き取りました。愛する日常の延長線上で迎える最期はきっと、そらの願いだったでしょう。Eさん家族はそらと出会えた幸運をお守りに、そらの安全基地を守り抜くことができたのです。

愛猫がどんな病気になっても愛猫の心を健康に守ること。それができるのは出会った家族だけです。人が「病気ちゃん」とか「高齢ちゃん」というレッテルを気づかないうちに貼ってしまうことで、愛猫の心にざわざわと不穏な風が立ちはじめてしまいます。だから愛猫が病気になっても、「病気ちゃん」ではなく「○○ちゃん」のままで見てほしいのです。

Case of Grief Care

愛猫が病気になると生まれるグリーフ。直訳すると「悲嘆」ですが、ショックや思考困難、拒絶、不安、後悔、自責や他責、罪悪感など、様々な形で表れます。このコの寿命を考えただけで、あなたのグリーフは大きく深くなるかもしれません。それは、このコがあなたにとってかけがえのない大切な存在だから。「グリーフは愛している証」なのです。

でも、あなたのグリーフをそのまま受け取ってしまうのが、あなたが愛するこのコです。病気になっても高齢になっても、このコには、生きている限りあなたとの時間が残っています。あなたは、どんなときでも世界中で一番の味方でいなければなりません。

このコが生きている間は「今をまっすぐ生きるこのコの死を想像しない」ことも大きなプレゼントになります。このコが死んでしまうことを想像し、あなたの恐怖をそのままこのコに見せることは「感情移入」となり、このコは理由もわからず警戒心を高め、自信を失くしたり猫としてのプライドが傷つくかもしれません。おうちは、このコが安心して弱った身体を投げ出せる場所として守り続けてほしいのです。

人に幸せな生き方を教えてくれる「猫」に、できる限りたくさんの感謝のプレゼントを贈りたいと、私は思うのです。このコが望むハッピーエンディングを叶えるために、このコと日ごろからたくさんのメッセージを交換し、できる限りこのコの愛する宝物を奪わないようにしましょう。このコに贈るハッピーエンディングは、このコに出会えたあなただけができる、世界でオンリーワンのプレゼントなのです。

Q ペットロスは避けられないのでしょうか?

A ペットロスは、誰にでも起こる当たり前のこと。ただし、グリーフの長期化は危険なことです。

ペットロスとは、ペットとの別れによって生まれるグリーフのことで、誰にでも起こる自然な心と身体の反応です。ペットロスという言葉自体が、病的なイメージをもたれますが、愛猫の存在が大きければ大きいほど、グリーフが深く強く様々な形であふれてくるのはごく自然なこと。愛猫ともう一度会いたいからこその心情なのです。このコの姿が見えない景色が、あなたにとって大きな違和感となり、心が簡単に受け入れないのは当たり前のことです。ペットロスによって、愛猫の命だけではなく、愛猫の世話をし、愛猫とふれあって癒してもらった「このコとあなたの時間」も失くしてしまいます。それはまさに大きな喪失体験。そんなグリーフは、ほとんどは健全な心理反応です。ただし、愛猫の看取りの状況に納得がいかないときや医療に不信感があるときには、グリーフが重くなり長期化することで病的になってしまう危険もあります。

Q グリーフケアは、このコが生きているうちにしかできないのでしょうか?

A 亡くなったあとにできるグリーフケアを、ぜひ実践してみてください。

このコが亡くなり衝撃を受けているときや深い悲しみがあふれるときに、このコの遺体をきれいに拭いてブラッシングをしたり、顔や体を優しくなでながら、ありのままの気持ちを伝える時間を過ごすことはこのコとあなたへのグリーフケアになります。そうすれば亡くなったあとも、泣いたり笑ったりしたこのコとの日常を続けることができると思います。このコが生前に好きだったことやお気に入りの場所など、このコが喜ぶアイデアが、この『猫と私の交換日記』に記されているのではないでしょうか。亡くなったあとも、このコの存在は変わらずあなたのそばにいます。遺体を抱っこして庭で鳥の声を聞いたり、このコが会いたいと思う人や仲間を呼んだり、遺骨を枕元に置いて眠ってもいいです。大好きだった場所や初めて出会った場所に行ってみるのもいいでしょう。生きていたときと同じように、このコもあなたと同じ気持ちでいますから、安心してくださいね。

Love letter to my cat

dear

このコへのあなたの思いを綴ってみましょう。それは、このコが元気なときでも、
病気のときでも、亡くなってからでも、いつでもかまいません。
ここには、出会ってからの日々を振り返りながら、このコに伝えたい気持ちを
ありのままに綴ってください。心が迷って出口が見えないとき、
ここに綴られたメッセージが、きっとあなたの力となってくれるでしょう。

from

あとがき

『犬と私の交換日記』に続く一冊として『猫と私の交換日記』を書き終えることができました。あらためて振り返ってみると、今までグリーフケアを通して出会った猫たちと彼らの生き方に、私は数多くの学びをもらってきたと感じています。グリーフケアとともに、マレーシアと日本を行き来しているこの十数年。きっとこのコたちは、一緒に日本から海を越えてマレーシアへ行ったり来たりしながら私を応援し、私のグリーフケアをしてくれているのだと思います。

私は子どものころ、父の仕事の関係で山口県の自然豊かな田舎に暮らしていました。3人姉弟の真ん中の私。実は3歳まで言葉を話さなかったらしいのです。今の私を知っている方はちょっと衝撃かもしれませんね。5歳で2匹の赤ちゃんうさぎと出会ってから、犬、うさぎ、モルモット、ハムスター、文鳥、セキセイインコ、ジュウシマツ、ニワトリ……と、動物のそばで成長した私にとって、人間の言葉をもたない動物とのコミュニケーションは当たり前の日常でした。そんな動物とは別に、猫はごく自然体で私の景色の中にいつもいました。庭、学校への行き帰りの道、よく遊んだ公園や林の秘密基地のまわりに猫がいて、ペットとは違うほどよい距離感もまた心地よかったです。そんな動物たちと過ごした時間が、今の私の原点なのだとあらためて感じています。父は、庭にうさぎの運動場を作ってくれたほど動物好きな人だったのですが、猫だけは苦手だったことを懐かしく思い出します。それでも動物に惹かれていく私の個性を尊重してくれた両親には、感謝の気持ちでいっぱいです。

いろいろな出会いと別れを繰り返した子ども時代。今のような動物病院もほとんどなく、狂犬病予防注射だけは義務でしたが、医療が身近にないからこそ結ばれる動物との心のつながりがあったようにも思えます。裏山のカズラや野菜の残り物で生き抜いた、うさぎの跳ね太の生涯は11年間。跳ね太は、庭のさつきの木陰、満開だったピンクの花のそばで眠っているように亡くなっていました。大好きだからこそ、悲しいことは自然でした。

当時、住んでいた社宅の庭はいろいろな動物が暮らす動物園みたいでした。私はうさぎがいることもあって、不思議なことに、猫は家で飼いたいとは思っていませんでした。猫はもっぱら林の中で一緒に過ごす仲間であり、日によって姿を見せたり見せなかったり。好きな場所で虫を捕まえようとしていたり、ひなたぼっこしていたり。寄ってくるわけでも嫌がるわけでもなく、とても自由だなと感じるとともに、何か自分に似ているような親近感があったのです。

でも、後悔の残る「猫」との出会いもありました。学校の帰り、ひとりで歩いていると段ボール箱が目に入り、中を覗くと猫が1匹。子猫よりは大きい三毛猫が入っていたのですが、家には連れて帰れません。母に内緒で、学校の行き帰りに牛乳を運びました。今思えば、牛乳ではミケのお腹はどうなっていたことかと申し訳ない気持ちもしますが、当時は必死でした。2日目の夕方、ミケに会うのを楽しみに箱を開けるといきなりミケが飛び出してきて、私は尻もち。思いがけないミケの行動に驚き、慌てて家に向かって歩くと、ミケがついてこようとしました。でも、私は走って逃げてしまったのです。また翌朝に会ったらミケに謝ろうと思っていた私は、それから二度とミケに会うことが叶いませんでした。学校からの帰り道、公園や林をひたすら祈りながらミケの姿を探したことを思い出します。

そして最大のグリーフは、私が高校3年生を目前にした3月に起きました。「ペーターみたいな山羊飼いになる」と言っていた小学生の私に「獣医師」という仕事があることを教えてくれた父の急逝。夕食前に突然倒れ、救急車で搬送された病院で、そのわずか5時間後に亡くなってしまった父。「私、りっぱな獣医師さんになるからね！」。病床で意識が薄れていく父の手を家族で握りながら、思わず私は叫んでいました。父がホッとした顔で頷いてくれた姿を思い出しながら、40年が経ち、ようやく報告できるような気がします。「私もやっと、あのとき誓った獣医師さんになれてきたよ」と。

医療の発展はもちろん幸せなことです。でも、いつのまにか獣医師は「病気を診る人」になってしまっていると感じています。私が考える獣医師は「病気を抱えるこのコを診る人」。そして、健康なときも病気のときも「このコ」が主役。猫のプライドを無視して傷つけてはいけない。ここは絶対ブレずにいきたいと私は思うのです。

本書には、グリーフケアのエッセンスをたくさん注いでいます。あなたの心を占める相手が「このコ」から「病気」にすり替わってしまったとき、「このコが主役なんだ」と、きっと道を正してくれるでしょう。このコの心と体の痛みを和らげ、このコがおびえることなく、堂々と生きる「このコの最終章」に導くお守りとなる一冊になりますように。私は道先案内人として、これからも「動物医療グリーフケア」の輪を広げていきたいと思います。

私に動物との日常をくれた両親、どんなときも味方だった姉、日本で仕事することを応援してくれた家族、そして自分の個性を愛する生き方を教えてくれた猫たちへ。いっぱいありがとう。

最後に、本書『猫と私の交換日記』の発行に際し、イラストを提供してくださいましたリサ・ラーソンさん、株式会社EDITORSの渡邊真人さん、編集担当の小沢雅世さん、今日まで応援してくださいましたすべての皆さまに、心より御礼申し上げます。

2022年11月

マレーシアより愛を込めて

獣医師・動物医療グリーフケアアドバイザー　阿部美奈子

＼ 全国にどんどん広がっています！ ／

動物医療グリーフケアの輪

動物医療者に、そして一般の飼い主に
「動物医療グリーフケア」を広げるべく幅広く展開中の
阿部美奈子先生の活動の一部をご紹介します。

待合室診療——全国の提携動物病院にて
カウンセリング——動物病院、訪問、ZoomおよびLINEにて

待合室では、猫は緊張や警戒心を高めてキャリーの中でおびえていることが多い。猫は何もわからないまま、テリトリーである家（安全基地）から連れ出され、待合室で自己防衛本能をフル稼働。その横には、不安を抱えながら我がコを見守る飼い主。そんな飼い主の緊張が伝わり、猫はさらに警戒心を上げて耐えている……。待合室は猫と人のグリーフであふれていることに気づいて以来、猫のグリーフはどうしたら最小限にできるのかを考えながら実践しているのが「待合室診療」。このコとの出会いのストーリーや名前を考えたときのことなどを聞きながら、このコの個性を傷つけないアイデアを飼い主にアドバイスしている。また、動物病院・訪問診療・Zoom・LINEでのカウンセリングも行っている。

キャリアカレッジ

通信教育講座・資格の「キャリアカレッジ」にて、一般社団法人日本能力開発推進協会（JADP）認定「ペット終活アドバイザー資格取得講座」を担当。
詳細はhttps://www.c-c-j.com/course/pet/pet-shukatsu/

執筆

2020年『PEPPY』カタログにて猫とのハッピーライフのヒントを連載するなど、幅広く執筆。

各種セミナー

『PEPPY』主催セミナーなど各種セミナーを多数実施。2021年から合同会社Always主催認定講座をスタート。全国に動物医療グリーフケアを実践する後継者育成に力を注いでいる。詳細は阿部先生のWEBサイト（https://grief-care.net/）へ。

往診獣医師協会

病院が苦手な猫にとって、病気になってからの通院はさらなるグリーフに。猫の「安全基地」であるホームを壊さないように心がけながら自宅で治療を行い、猫と飼い主のハッピーライフが一日でも長く続くようサポートしてくれる。https://jhvca.main.jp

阿部美奈子先生の連絡先

問い合わせ先
合同会社 Always
代表：阿部美奈子
TEL：090-9394-4576 ※日本滞在時
TEL：+60-14324-8835
※マレーシア滞在時
MAIL：alwayswithpet@gmail.com
WEB：https://grief-care.net/profile.html

著者
阿部美奈子
1963年、神奈川県生まれ。『合同会社Always』代表。1988年、麻布大学大学院修士課程を修了。動物病院勤務後、出産を機に専業主婦へ。子育て中はホストファミリーとして外国人を受け入れ国際交流を楽しむ。復職後、「動物医療グリーフケア」を構築。2010年よりマレーシアで家族、愛犬愛猫と暮らす。日本とマレーシアを往復しながら日本各地で待合室診療のほか、セミナー及び講演会を開催中

猫と私の交換日記

著 阿部美奈子
絵 リサ・ラーソン

2023年1月25日 初版発行

発行人 渡邊真人
編集 小沢雅世
発行所 株式会社 EDITORS
東京都世田谷区玉川台 2-17-16 2F
電話 03-6447-9444
http://editorsinc.jp

発売元 株式会社二見書房
東京都千代田区神田三崎町 2-18-11
電話 03-3515-2311(営業)
振替 00170-4-2639
https://www.futami.co.jp

印刷・製本 株式会社堀内印刷所

ISBN978-4-576-22525-8
定価はカバーに表示してあります。

待合室診療を実施している、猫に優しい病院の一部を紹介

秋川どうぶつ病院

東京都あきる野市秋留4-1-1	☎042-559-9929

http://akigawa-ah.com

2階の一室はまるでおうちのリビングルームのようにくつろげるカウンセリングルームがあり、猫も飼い主もリラックスできる空間でカウンセリングを受けられるほか、入院の面会もできる。猫専用の待合室や診察室のほか、入院施設もあり、診察の順番を待つ猫のストレスに配慮している。

葉山どうぶつ病院

神奈川県三浦郡葉山町堀内639	☎046-875-1199

https://www.hah.co.jp

院長を中心にスタッフ全員の距離感が近く、アットホームな雰囲気。独自のキャラクターシートを作成し、猫の性格や環境を把握しながら治療を実施している。猫専用の待合室もあり、診察や治療では持参したタオルなどを使い、猫のストレスケアに力を入れている。

みかん動物病院

神奈川県秦野市今泉1304-3	☎0463-84-4565

http://www.animal-hospital.co.jp

2006年、阿部先生が待合室診療をスタートさせた病院。猫と飼い主の心に寄り添う医療を目指し、グリーフケアに力を注いでいる。猫専用の診察室のほか、別棟の専用待合室を準備。面会ではペットと家族が愛情深い時間を過ごせるよう多様なアイデアを提供している。

もみの木動物病院

兵庫県神戸市灘区泉通4-5-13	☎078-861-2243

https://mominoki-world.net

一般診療のほか、『こころのワクチン』の著者、村田香織先生が猫とよりよい関係を築くための行動カウンセリングを実施。猫のしつけの「子猫塾」や「子猫の幼稚園」という場を設けている。カフェ「Café Kokotto」には猫の社会化やストレス発散を目的としたスペースもある。

猫の飼い主のコミュニティ

猫は室内飼いが多いこともあり、困ったことがあっても自分だけで抱え込んでしまう人も多い。猫の飼い主同士のコミュニティに参加しておくと、猫についての知識を得たり意見交換したりでき、ひとりで悩まずに済む。

クマ研

https://fants.jp/community/kumaken

“ヒトもネコもクマなくきもちをほどく研究所”。ルールはたったひとつ「人の意見を否定しない」。定期的に様々なセミナーを開催。阿部先生のオンラインセミナーで興味をもって入会する人も多いコミュニティ。

Happy Cat

happycat222.com

猫との新しい暮らし方の提案として、健康管理、室内環境の整え方、エンリッチメントとしてのトレーニング、ストレス軽減のためのトレーニングなどを伝えている、猫の飼い主のための教室。

本書をもっと楽しめるコミュニティ

公式note『Home of Grief Care』では、阿部先生の動物医療グリーフケアへの思いや本書をもっと楽しむコツ、セミナー情報などを随時発信。